PURE GHOSTERS

Gaberlunzie Joe's

Pure
Ghosters

Edited by Matthew Fitt

First published 2002
by Itchy Coo
A Black & White Publishing and Dub Busters Partnership

ISBN 1902927575

Cover design by Creative Link
Cover photography by Stephen Kearney

Printed and bound by Nørhaven Paperback A/S

CONTENTS

FOREWORD

For a wee country, Scotland is fair hotchin with accents, dialects and languages.

Gaelic (*pronounced Gah-lik*) is spoken across the Highlands and Islands. English with a Scottish accent is used everywhere. And in the Lowlands, if you listen closely enough, you will hear the rich and vibrant dialects that make up the Scots Language.

PURE GHOSTERS shows Scots in all its many forms – Glaswegian, Shetlandic, Dundonian, the Doric, Edinburgh Scots, Fife, Central, Borders and Galloway. And with all these dialects lowpin about and skitin aff each other, don't be surprised if you see different spellings for some Scots words. This is because the stories in this book have been specially written to celebrate the similarities and differences in the way Scottish people speak.

So get yir lugs, yir een and yir imagination intae gear and let Gaberlunzie Joe take you on a gallus journey through the sights, sounds and *pure ghosters* of Scotland.

MF

GABERLUNZIE JOE

Name's Joe. Joe Hunter. I get tae be fourteen next year.

Andrina, that's ma Maw. She says she's gonnae hae a big pairty for me but I dinna believe her. She's ayewis promisin me this an thon, talkin aboot how, if I'm guid an stick in at the school, she'll gie me CDs an money an days-oot at the shows. I never see any o it, like.

Ma faither bides in a toun beside the sea. Him an Maw are divorced. He phones me every week an comes tae see how I'm daein yince a month. I've no been tae ma faither's hoose since I wis a wee boy. He's got a new faimlie noo. It's aye blowin a gale where he stays an the rain faws as ice. That's whit Maw says when I ask her an I hae tak her word for it because I dinna mind much aboot the place. Except the sea-gulls. I remember the seagulls but that's no whit they caw them. The kids there caw them wan thing an the kids in the next toun caw them somethin else an they hae rammies wi each ither yellin that their word for seagull is best. The gulls dinna care. They dodo on awbody's heids anyway, nae maitter whit the people cry them.

Maw's an artist. She pents picturs o folk. Portraits, like. She's weird, ma Maw. She doesna dae normal portraits. She goes aw ower Scotland pentin people wi the strangest, maist hackit-lookin faces. 'Interestin,' she cries them but she has tae be jokin. When she comes hame fae her maist recent trip an shaws me the folk she's jist pentit, I nearly cowk up the chicken casserole I had for ma tea. Her sitters ('Heids,' she caws them) well, the sitters frae this last trip o hers look like they've been deid for a month an then dug up.

"Dinna ken whit you're laughin at, Joe," she says. "See next time. Next Tuesday. You're comin wi me."

"Och, Maw." Ma hert sinks. I cannae go wi her. Chuckie says I'm tae come roond tae his bit tae feenish aff the semi-final o Fifa World Cup on his Gemm Station. Alan's gonnae get oot o bein groonded tae come ower as weel.

"Maw. I've got hamework club next Tuesday," I fib. "I canna miss that. Ye'll get me in trouble if I miss the hame-work club."

"Dinna gie me any o yir guff, Joe Hunter. I dinna trust you in the hoose on yir ain. No wi thae twa eejits ye hing aboot wi. That Chuckie an thon Alan. An you've never been tae that hamework club thing in yir life. I asked Mr Brownlee an he says he's never wance seen ye there."

Mr Broonlee's ma reggie teacher. I dinna ken whit I've done tae him, like, but it doesnae maitter whit I dae. He's ayewis there in the school corridor or oot in the playgrund waitin on the chance tae nip ma lugs for me.

"Ye mean I'm gonnae hae tae sit there like a tube sookin ma thumb while you pent some mair hackit auld bags."

"Naw, sweethert," says ma Maw, smilin. "You'll be daein the extra hamework I've asked Mr Brownlee tae arrange for ye. An I want nae mair **But Maws**" (even tho I havenae gien her any) "ye're comin wi me next Tuesday tae Falkirk an that's it."

I wish I wis fourteen noo. Better still, sixteen. Then I could tell Maw tae git loast. I'll be able tae dae whit I want then. I'd tell Mr Brownlee, tae. Yip, sixteen wid be guid.

But I'm no even fourteen. That's how I'm sittin at a wee desk meant for weans in a cauld draughty neuk o Falkirk Library. Maw's got her easel set up in the middle o the flair an auld wifes an grandas are croodin roon her, their hairy nebs

2

botherin them tae find oot whit's gaun on. Ma knees are crampin up. The algebra book on the kiddies' table in front o me is as big as a heidstane. Like the smit that he is, Broonlee's been roond aw the ither teachers an noo ma school bag's that heavy wi extra books I've aboot done ma shooder in tryin tae cairry the thing.

"Maw, ma legs are sair. I'm feelin awfie no weel."

"Save it, Joe. I've said I'm no fawin for yir lees."

Lees? Whit's she on at? "I dinna tell lees, by the way," I pewl in the bubbly-bairnie voice I use on her when I'm tryin tae mak her feel guilty. It doesnae work, like.

"Ach, shut yir gub," she says. "Here comes wee Doaky."

Doaky? Wha's Doaky? I turn tae check oot the lang skinny-malink nashin through the library towards us. Doaky's a laddie aboot ma age, mibbe a year aulder. He's wearin skintight stane-washed jeans ower a pair o legs wi as much meat on them as yin o Maw's pentbrushes. The heid on tap o his baney shooders is that fragile an roond it looks like it's been laid by a giant craw. Doaky's skin's that pale, tae. I swear I can jist aboot see richt through him an read the names o the lovey-dovey books on the shelf he's staunin aside.

"Git you on wi yir algebra," Maw snips at me, no even lookin in ma direction. "Ready when you are, Doaky?"

"Aye, missus," Doaky clears his thrapple o spit. "Whitever."

Maw's pentin awa an I'm gawkin at the pages o the algebra books tae ma een are aboot gaun bleary wi tears when Doaky starts up wi a story. Whit a brass neck, eh? I mean, I'm tryin tae study here. Still, anythin's better than daein maths, even listenin tae young Doaky's daft haivers.

3

VAMPIRE
Janet Paisley

"Thon McAndrew's a vampire," Biff says. "A mingy blood-sookin get."

"Vampire?" says I.

"Aye, a vampire," Biff says. "Ye ever see him at the school? Naw. See him hingin aboot the park soon as it's daurk though, din't ye?"

"Thocht his maw wis no weel an he has tae bide aff the school."

Biff gies me yin o his 'wee smout' looks.

"Believe that, ye'll believe onythin," he says. "Bloodless, his mither is. I heard thum sayin in the shop. Nae blood. Noo hoo'd she git thon wey, d'ye hink?"

Hinks I'm daft, Biff does.

"Git awa. Ye widnae drink yer ain mither's blood even if ye wur a vampire. Yuck! Ye widnae be that hard up."

"Never said he did." Biff gits a haud ae ma throat. "Fur aw you ken, she's yin tae. I jist says ye never see him till it's daurk. An he's went a funny colour. Hiv ye seen that? Hiv you seen that?"

I wis gaun a funny colour tae, oan account ae Biff shakin me by the throat. Purple, I hink.

"Aye," I squeaked. It wis true. McAndrew wis gey peely-wally. Unner the streetlichts, he ay looked yella. Greenish, mibbe.

Biff noticed I wis gaun limp an let go ae ma throat.

"It's up tae you," he says. "Git him sorted. He owes me a fiver. I waant it back."

4

He daundered aff hame an left me staunin, wheezin tae I got ma braith back. See, the hing aboot Biff is he's the boss. Wullie McAndrew yaised tae be yin ae oor pals. He wis ay borryin siller an ye never got it back.

"Whit's a wee lend ae money atween pals?" he'd say. A richt coggie. Noo he wis a vampire an aw. Biff had said. An ye didnae argie wi Biff. No if ye waantit a life, ye didnae. I wid hae tae git McAndrew sortit.

Garlic. That wis the first hing. I rubbed ma mither's garlic paste aw roon aboot ma thrapple. If McAndrew wis a vampire, he'd keep awa. Then I'd ken. An nae wey wis he gettin his teeth intae me. No if I could help it. Yince the throat wis done, I chapped up a haill garlic an shoved it in ma pooches.

"Man, ye're reekin," ma mither says when I went ben the livin room. "Whaur ae ye been?"

"I've no been," says I. "Jist gaun."

"Weel," ma mither says. "If ye're efter a lassie, I dinnae hink that'll work. Ye smell like a calzone pizza. Aw ye waant is the tomata sauce."

See mithers? She kens fine weel I'm no efter a lassie. I mean whit yuise are lassies? Jist waant tae rabbit oan tae thur pals. Ken whit they're like. *So I goes mmm, weel that's jist you, Charmaine. An she goes mmm, is that right? So I jist goes mmm, it is so right, right back.*

Imagine listenin tae that aw nicht. Ye'd end up doolally. Ask thum whit level they're oan wi Space-Wars Magnum Coontdoon an ye'd hink ye wur speakin Greek. They've aw got the look, ken? The 'whit-stane-did-you-crawl-oot-fae-ablow' look. If ye ever wonder whit's wrang wi yer mither, like whey she's nae sense, jist mind she wis a lassie yince. Says it aw.

Onywey, I hud bigger fish tae fry. Me an ma garlic hightails it awa roon the park. An there's the man hissel, McAndrew, hingin aboot ablow the streetlichts an lookin mair peely-wally than ever. He only ever weers black. I never noticed that afore. He turns roon when he hears me comin an gies me a grin. Ken, he's awfy sherp teeth. Never noticed that afore either.

"Doaky," he says. "How ye doin?"

"Doin awright. Hoo's yersel?" I'm makin shair I dinnae git ower close. He's skinnier than I mind. Big daurk shaddas unner his een. He looks seik. Seik an hungry.

"No bad," he says. Then he catches a whiff. "Man, ye're mingin! Ye must ae stood in sumhin. Whit is that hum? Ye're honkin!"

It wis ma turn tae leer.

"Garlic," I tell him. Noo we'll see if Biff wis richt.

If he wasnae green afore, McAndrew goes green noo.

"Eh, whoah. Keep back fae me." He looks feart.

"Whit fur?"

"I'm allergic tae that stuff."

"Git awa," I tell him, an I shift nearer haun.

"Naw, nae jokin, Doaky." He's feart. I kin see it in his een. He's backin awa fae me. "Dinnae come ony nearer. Ma een'll start watterin an ma throat'll swell up."

I've got a vampire oan the run. Flushed oot an a fearty gowk. Ya belter!

"Dinnae talk daft, man," I laugh. "It's only garlic." I say it again. "Garlic. Garlic. Garlic."

But he's awa, runnin. Cannae see him fur stoor. A big black blur. I hoot laughin. That's yin tae me. Vampire, richt enough. The morra, it'll be plan B.

When the morra comes, I'm ready fur him. Wee bit garlic in ma pooch, whaur he'll no smell it, jist in case. An I've been sherpenin a fencepost aw day. Noo it's a stake shoved doon ma jooks an a hammer inside ma jaiket. That's whit ye yaise. Come oan, McAndrew. M'oan git whit's comin tae ye, ya blood-sookin vampire get.

Yince it's daurk, I go roon tae the park. Thur's naebody aboot. I pick ma spot, jist ahint the auld tree. I lean ower the branches, peerin oot, waitin fur McAndrew. The moon comes up. It isnae warum but I'm meltit. Dreepin wi sweat. He'll be alang the noo. Twa lassies daunder doon the park, rabbitin oan aboot nuthin. Then awthin goes quate again. I lean furrit mair so's I kin see the streetlicht whaur he aywis hings aboot. Yince he gits here, I'll cry him ower. Then it's wallop.

Somewhaur in amang the trees at ma back, a hoolet gies oot an eerie hoot. Then, ahint me, thur's a crack fae a twig bein stepped oan. A cauld shiver runs doon ma neck. Ma hair stauns up oan end. A haun clamps ma shooder. I let oot a yell an burl roon. It's McAndrew! White-faced, daurk een, big cheesy grin. I yell fit tae burst. The cheesy disappears. McAndrew opens his mooth. I yell again. McAndrew doesnae bite. He yells an aw. I gub him. He's ower, oan his back. That'll dae me. Afore ye kin say Coont Dracula, I'm sittin oan his chist. The stake's oot, pintit tae his hert. The hammer's up. Cheerio, Wullie McAndrew, Vampire ae the Glen. I thump. He yells. I thump again.

I'm a hero an naebody kens it. I faw intae step aside Biff oan oor road tae the school.

"You sortit oot yon blood-sooker yit?" He says.

I haud oot ma hauns. They're full ae skelfs. Biff doesnae get it. He's no impressed.

"Git they fae scartin yer heid, did ye?" He jokes an then hew-haws.

"Heid nuthin," I say, then I show him. "Stake. Hammer. Wallop, wallop. The ither nicht roon the park. Yin vampire sortit, nae bother. Ye missed yersel."

Biff goes a funny colour. White but it micht be yella. Greenish even.

"Whit? Through his hert? Ye killt him?"

"Nae mair blood-sookin," says I. "Thon vampire's kaput, wastit, deid."

"Are you stupit?" Biff says an he stops walkin. "I wis oan aboot his borryin, ya lummock! That's aw! I only waantit ma fiver back!"

I reach intae ma pooch.

"See, that's the funny hing," says I. "But when I dinged doon wi the hammer, the stake rammed intae suhim an got stuck. It wis his wallet. I hud tae yank it oot. An ken whit wis in it?" I pull the note oot ma pooch an haud it in front ae Biff's starin een. "A fiver!"

He doesnae look like he's gaunnae take it so I grab his haun an slap the note doon.

"There ye go."

Biff's starin at the fiver. Thur's a hole in the middle whaur the stake went in. An aw roon aboot the hole, the fiver's a wee bit stained wi ridd.

"Is 'at . . . is 'at . . . "

I never kent Biff stuck fur words afore so I help him oot.

"Blood?" I luft the fiver an keek at him through the hole. "That's whit it'll be awricht. Vampire blood. I hink ye'll kin still spend it, but. Numbers arenae smudged or owt." I go tae gie him it back but he'll no take it. He's backin awa fae me.

"Blu . . . blu . . . blood," he gits oot. "Git awa. I'm no haen that oan me."

Ken, I never thocht Biff wis a wimp, no afore noo. He's

green fur shair, haun clamped ower his mooth. He's no stuck fur motorin, but. He turns an legs it, skelpin back up the brae. No gaun tae school the day, then. Need tae keep an eye oan him. He micht be next fur the stake.

I pocket the fiver. Whit's a wee borry atween pals, eh? Never thocht a wallet'd be a guid hing. Leather, see? Stopped the stake gaun in. I'll be gaun roon tae Wullie's bit the nicht, gie him the dosh back. Thur's nowt wrang wi his mither. It's Wullie's no weel. Jaundice. He'll be anither fortnicht aff the school. We're gaunnae play Space-Wars Magnum Coontdoon. Aw that time in the hoose, the score he's got is magic. Hoo cool is yon, eh? Wait tae I tell Wullie hoo weel it worked oot. The tomata sauce oan his fiver, ken? Wait tae I tell him.

Total ghosters. Whit Doaky's comin oot wi. I dinnae believe a word o it. Maw tells him he's gallus an brave, sortin oot that bully like that, but I'm sittin there gaun, get a grip, will ye? It's obvious as anythin he's makkin the haill thing up.

An aw the time, Doaky keeps sayin **Fawkirk** insteid o **Falkirk.** The wey he speaks. It's like a couple o the bandits at ma school. The words he's comin awa wi. I write some o them doon in ma algebra book I'm that bored. **Peely-wally**'s yin an pittin the stake doon his **jooks**, that's anither. In the story, Biff cawed him a **lummock**, tae. Aw thae words. Whit's he like?

Mr Broonlee'll dae his nut when he sees I've been scrivvlin on ma jotter but that's fine wi me. In the school we're aye yellin tae each ither, "Question: how dae ye mak Broon turn reid? Answer: write the word 'joabby' up on his blackboard."

An as if draggin ma bahookie aff tae Fawkirk isna bad enough, Maw hauls me awa the next weekend tae Aberdeen.

We're in oor beat-up wee Datsun, chuggin alang the motorwey in the teemin rain when she hits a pot in the road. Aw the fillins in ma mooth pure rattle. Maw's pentin gear lowps intae the air on the backseat. She's got her stupit dreich music on, tae, an tae mak it worse, she's singin. It's a miracle we havenae gone aff the road.

Maw's gonnae be pentin some hameless guy this efterninn. She pits ads in aw the papers, askin folk tae volunteer tae hae their pictur done. Tons o people reply fae aw ower the country but she ainlie chooses the anes she thinks will mak a guid subject. She never sees them first. She doesnae even ask for a photie. She jist seems tae ken if they're richt or wrang fae the few tottie details she gets them tae write aboot themsels. Mibbe it's jist me but ye've got tae think there's somethin witchie gaun on there, eh. I tellt ye ma Maw wis weird.

I'm wunnerin whit Alan an Chuckie are up tae. They'll be doon the toun the noo, birlin through the mall, cruisin the arcades, windin up the security guairds. An Doaky, wherever he is. On a Setterday mornin. He'll be daein the same. Whit he'll no be daein is sittin in a car wi steamed-up windaes on his wey tae dae the portrait o some auld cadger in Aberdeen.

"Foo's aa wi ye?" the auld guy spiers when we meet him roon the back o the Langstane Kirk in the hert o the Granite City. "Caa me Tam," he smiles, treatin us tae a swatch o his boggin teeth. "I'm fit ye wid cry a *gaberlunzie*. I bet you divna ken fit a gaberlunzie is, div ye, ma wee loon?"

"I'm no yir loon," I say. But he's right aboot wan thing. I dinnae ken whit a gaber-hingie-ma-jig is an I dinna want tae find oot because Tam's braith is honkin. Aw I want tae dae is get awa fae the guff. I pit ma haund ower ma neb while I help him clear the clart fae the granite step Maw wants him tae pose on. She says she'll gie him some money for sittin for her but he tells her tae hing ontae her siller. The words as they slip oot his reekin mooth tak ma lugs by surprise. He speaks that different fae Doaky. He's got a singie-sangie wey o talkin that soonds bonnie, even fae the gub o a tink like Tam.

"Tink, am I?" He glowers at me, a second efter the word has run through ma heid. "I'll chase ye oot o Aiberdeen, ma wee loon, wi ma beet up yir dock."

I'm no feart fae him, like. Doesnae scare me, but. Jist in case, though, I staun ahint ma Maw, so's I can, ken, get a better look at the pictur. The man, rowed up in his mingin auld winter coat, settles hissel on the step.

"That's pure perfect, Tam," says Maw. "Haud it there, jist like that."

11

TAM
Sheena Blackhall

Face like a torn scone, aabody says I hae. Lang grey hair like cats-sookins, five yella teeth, a scar aneth ma left ee far a drunk walloped me, an nae a stitch on ma back that didnae cam oot o an Oxfam shoppie. The lived-in luik. Seen it, deen it, bocht the t-shirt. Tam the Bam, that's me, that's fit they caa me oot on the street. Cause I'm different ye ken. Fin I'm oot on the street an a punter spikks tae me, I rhyme:

"Maist fowk think I'm on the mooch.
They keep their siller in their pooch.
Bit I am here tae prove tae ye
It feels gweed tae stop an gie."

Aye, I'm nae yer average *Big Issue* seller coddlin ma cuppie o tea in the shoppie door. Na. Fin somebody stops tae buy a *Big Issue* fae me, I gie them somethin speecial alang wi it. Jist the young eens, tho. Ye can still teach them things. Their thochts arenae set in cement. Fin a young een stops tae buy a *Big Issue*, I gie them a giftie alang wi it. Nae aa the young eens get ma speecial giftie, nae the eens that caa me names, yon wee scunners that try tae wind me up. They're a guddle o space. They get naethin, jist the roch side o ma tongue.

Ye're winnerin fit the present is? I'm nae gaun tae tell ye. Ye've tae guess. I'll jist tell ye aboot a twa-three young eens that I gied it tae, and ye can makk yer ain mind up aboot fit it is. Pit yer wee grey cells intae gear, peen back yer lugs an listen:

"Fit I gie, I dinna tell.
Ye've tae wirk it oot yersel."

I usually doss doon in the doorwye o a jeweller's. Up market, ye ken? Quines aften stop tae teet in the windae at the rings. Quines are like wee pyots. They're affa bizzims fur onything glittery. An the loons are aye nippin intae the newsagent's neist door fur sweeties or papers or fitiver. I like the jeweller's doorwye, cause it's aye keepit clean, an nae mony fowk can afford tae veesit a jeweller's sae the steps are nae aa clartit wi dubby beets an sheen trampin up an doon. I catch aa the fowk gaun hame fae wirk, an young eens gaun oot efter they've feenished their tea an deen their homewirk tae meet aa their freens.

Last Monday. I mind it wis Monday, because the Sunday papers war aa rowed up wi a towe ootside the newsagents. I hid jist sattled doon wi ma bunnet at ma feet, fin a wee shauchlin quinie gaed trailin up the street at the tail eyn o a puckle ithers. I heard them caa her Jackie. They war aa bein led bi a lood bossy heap o a lass. Gemma somethin or ither. A richt poser, she wis. She'd a mooth on her like a sewer. I could see that this Jackie wis a shargeret, feartie-luikin craitur bit she stopped a meenit an tossed 20p inno ma bunnet. I thanked her like I aye dee:

"See yer pal that leads ye aa?
The hardest bruisers hardest faa!"

Onywye, Gemma, the leader spied wee Jackie slippin me the siller an she turned on her in a flash.

"Foo are ye giein thon minkit aal dosser money? Are ye glekit or fit? If ye've got that much ye can gie it awa, mebbe I should be gettin some!"

Weel, I could see Jackie cooerin awa fae her an a wee crood beginnin tae gaither. Next thing a bobby merched up, an a richt stooshie sterted. He wis efter Gemma fur shopliftin bit she wis fly, real fly. Ye jist kent she'd hae plunked fitiver she chored the meenit she crossed the shoppie door. The bobby roonded on Jackie.

"Fit div ye ken aboot this? Did this pal o yours pinch the CD or no?"

"Aye, she did," said Jackie, luikin fair dumfoonert, as if it wis her tongue sayin it bit it really belanged tae some ither body. "Aye, she did. An there's nineteen ither times fin she's chored fae ither shoppies!"

Efter wee Jackie blew the whistle an Gemma wis teen awa, the lave o the gang sung like linties. Turned oot they were aa feart at Gemma. Naebody likit her onywye bit up till then neen o them had daured tae staun up tae her.

Nae young een bocht a *Big Issue* aff me till Wednesday, an that day it rained haill watter. It fair teemed doon. Even the gulls war drookit, sittin like sodden tea cosies on tap o the lums in the toon. Aboot hauf past seeven a young loon gaed by wi his mither. He wis aboot fourteen year aal, black haired, plooky, hingin-luggit lookin. I come oot wi ma usual patter:

"Here I'm sittin in the steen caal street.

Gie us the price o a pie tae eat?"

He got sic a begeck, he stoppit. "Ye're a bit aal tae be a rapper, are ye nae?" he said. "Ye shouldna be sittin doon there in the weet. Ye'll catch yer daith."

He fummlit in his pooch, took oot some siller an drappt it inno ma bunnet. Chink. Chink. I kent there an then I wis gaun tae gie him ma giftie, aye, he wis fair deservin o it. Jist as he drapped three mair coins, chink, chink, chink, his mobile phone rang. I could see his face growe reid an the greet wisna far awa fae his een. He didna answer the call.

Insteid, he switched the phone aff. His mither cam up til him, ragin.

"Is this you giein awa my money tae a smelly aal cadger? I wirk ma fingers tae the been tae mak money an you gie it awa. An fa wis thon on the phone? Ye're niver aff the dashed thing, textin or bletherin awa tae aa yer pals in the fitbaa team. Ye jist said cheerio tae them five meenits back."

"It wisna een o ma freens in the fitbaa team. It niver is a freen fae the fitbaa team. It wis da fa wis phonin me. It's aye da. If ye let me see him, or veesit him he widna need tae phone an text me aa the time, an I widna need tae lee aboot it. Jist cause you dinna like him ony mair disna mean that I dinna. I wint tae see ma da. I like ma da. It disna mean I dinna like you. Da an me hae things tae spikk aboot. Men things. Things you widna ken aboot."

"Sell the hoose, rise up, set aff.
Ye canna cut a bairn in half,"

quo I, bit they waurna pyin me nae heed ava. I could see the mither hid gotten a surprise. Her face gied fite an her broo turned aa wrunklit like she wis thinkin hard.

"I think we'd better ging richt hame noo. I'd nae idea ye felt like this. We've a lot tae sort oot," wis aa she said.

This portrait's takkin a lang time tae feenish. I eence got a rare pictur made o me bi a chiel drawin on chakk in the street. I wis a real bobbydazzler! Then, it rained an washed the pictur awa. I hope this portrait's nae aa cubes an boxies. I hope it's a real pictur. At this rate I'll hae time tae tell ye aboot the last punter I met this wikk.

It wid hae bin Friday nicht, an this young lassie, mebbe thirteen or fourteen year aal, tho she could hae bin younger, a real bonnie young quinie, shauchled by pushin a buggie. Her wee sister wis in it. The young lassie wis weel dressed, nails aa varnished, hair bonnie kaimbed, earrings in her lugs, smert denim jaiket, an she wis walkin slow, cause she'd a freen walkin alangside her, an this freen wis hirplin, weirin a caliper. She wis disabled, ye ken. Said I.

"Aa that glitters isna gowd.
Here's twa treisurs in the crowd."

"We've a richt een here," quo the lassie pushin the buggie. Bit baith her an her freen drapped money inno ma bunnet. Ah weel, thocht I. Twa gifties the day.

"Sit awhilie. Rest is sweet,
Sittin at the warld's feet.
I can show ye things unkent –
Mak this meenit time weel spent."

"Div ye aye spikk in rhyme?" speired the bonnie quinie, as she handit her baby sister a teddy tae batter up an doon on the cassies. I fand oot that her name wis Sasha an her freen wi the pallie fit wis caad Lorraine. The baby sister gaed bi the name o Hatty. They sat doon aside me in the jeweller's doorwye an Lorraine poued oot a pyoke o sweeties an handit them roon an we aa chawed awa in silence, wee Hatty an aa.

"Sasha," said Lorraine. "Maist times fin I phone, ye aye say ye canna cam oot wi me, that ye've ither things tae dee. Ye're richt lucky haein sae mony boyfreens."

"Fit boyfreens?" said Sasha. "Fit chaunce div I hae tae hae boyfreens? Iver since Hatty here wis born, I'm the unpyed baby sitter. I luve her tae bits an aathing bit whyles I could see her far eneuch. Ma's the een wi the boyfreens. Ma's the een that's aye oot. She wirks throwe the day tae keep us, ye ken, an she aye says I shouldnae grudge her a wee bit fun. An Hatty is ma sister, efter aa. Ye're the lucky een, Lorraine. Nae responsibility. An ye're aye sae cheery, a real lauch. Ye niver girn, even tho . . . "

"Even tho I canna walk richt? Aye, go on. Ye can say it. Even tho I'm disabled. Div ye nae think there's mony a nicht I greet masel tae sleep wishin I'd the life like the een I thocht ye hid wi pairties, boyfreens, aa the things ither quines oor age tak fur granted? If I'd a wish it wid be tae rin like the win. I'd rin an rin an rin. Bit I canna. An I canna even say that's fit I wish fur, because it maks ither fowk feel guilty an *embarassed*. Sae I mak them lauch insteid, an that wye they dinna notice, efter a while, that I canna dee aa the things they dee, that I'm nae the same as them."

"A wechty load is nae sae sair
If twa thegither cam tae share,"

quo I, sookin awa at ma sweetie. It wis a richt fine sweetie I micht tell ye, een o thon minty eens, fine an hard an slivvery.

"I'd like fine tae babysit fur ye sometimes," Lorraine said tae Sasha. "If ye promise tae treat me like a real pal. Nae mair secrets. Nae mair lees."

"Ken this, we could invite some freens roon tae the hoose tae hing oot," said Sasha. "There's nae wye fur maist o them tae ging bit the street, an the street's caal. I canna ging oot, bit that disna stop freens drappin in."

"Aye, an I hae a rare set o CDs an videos I could bring ower. My fowk wad easy let a twa-three pals share ma taxi. They'd be that pleased I wis meetin ither young eens. Hatty wad like the company as weel. Rory Baxter's a great wye wi bairns, I've seen him takk his wee brither oot tae the park. Whyles he babysits an aa . . . "

Awa they gaed doon the road, leavin me anither twa sweeties, een fur each side o ma mou sae it widna be skwee-jee. I tell ye, I maun hae luikit like a grizzlit wee hamster sittin there in the jeweller's doorwye in the rain, ma twa chooks bulgin like twa cairrier pyokes fu o shoppin.

Is ma portrait near feenished yet? I canna pye yer Ma fur peintin it, Joe. I hope she kens that. Mebbe she'd like me tae gie her ma speecial giftie? I could mak an exception this eence, even tho she's nae a young een. Hae ye wirked oot yet fit it is? Weel, gin ye hinna, I'll mebbe jist tell ye. I hae bin giein it awa fur hunners o years noo, doon the lang centuries in Scotlan. Aye, it's nae muckle winner ma face is sae wrunkled, I wis young fin Merlin wis a bairnie . . .

"*Tam the Bam has this tae gie –*
A mou that spikks wi honesty.
Oh, wad ye wish thon weird tae dree,
A tongue that niver tells a lee?"

"Gaberlunzie. Gaberlunzie Man. Where's ma wee Gaberlunzie man?"

That's aw I get noo. Mornin an night, ma Maw's gaun at me wi it. She canna help hersel. "Gaberlunzie. Gaberlunzie Joe. Where's ma braw wee Gaberlunzie Joe?"

I tell her, like, "Dinna caw me that, Maw. I pure hate it." It maks nae difference, but. She's got a haud o it an she's no lettin go. It's aw that Tam the Bam's faut. It's him that got her startit.

While she wis drawin him, he kept cawin her his **quine**. Ken, it's aboot a hunner light-years since anybody's cried Maw a quine or even a lassie so she wis ridd-faced an giggly aw efterninn. It wis that bad I got a riddie masel fae the embarrassment.

But jist because I widnae let Tam caw me his **loon**, he ripped ma mince aboot me bein a **vratch** an a **snotty wee clip** and an **ill-trickit nickum**. An he skelped me wi a lot mair o his Aberdeen words an when he feenished, ma lugs wis roastin. Then Tam said I wis jist like him, a wanderer an a drifter. He said I wis a right **gaberlunzie** an that I didnae hae a clue where I'd come fae or where I wis gaun.

I wis feart he wis pittin the evil jakey ee on me an I tellt Maw but by this time she thocht the sun rose an set in Tam's clarty auld bunnet an widnae hear any o it. She bocht aboot ten o his newspapers an thanked him for giein us his time. "Whit ither big things has he got tae dae wi his time?" I thocht but I thocht it tae masel. An I thocht it as quiet as a moose at a bawdrins' neb, jist in case Tam the Bam wis readin the inside o ma heid again. I wisnae greetin, like, when we said cheerio efter Maw had her impression o his ugly coupon safely doon on canvas.

That wis last weekend. I'd plans tae go oot the day wi Alan tae the SupaMegaBowl up at Kirk-ma-Cross. Maw had promised I could go, tae. She wis even gonnae pey for it but Broonlee turned up at oor door like the reek that sometimes blaws back up fae the cundie in oor street. He said I wisnae pullin ma weight in English class an that I wid definitely need mair hamework. It's no true either. It's jist I dinnae like daein Talks. On Thursday the teacher made me staun in front o the haill class wi aw thirty weans goavyin straight at me. I felt like a right bananae-heid. I didnae ken whit tae say. I jist stood there hechin an pechin until the teacher got seik o it an hauled me aff.

So early Setterday mornin Maw's packin me intae the car alang wi her brushes an palettes. I feel like sayin "maw, you promised" but I save ma pech. I should ken by noo she's no intae keepin things like promises.

We drive sooth tae Dumfries an Galloway an stap at a toun cried Kirkcudbright. It stauns at the mooth o a river an aw its auld hooses are pentit blue an white an yella. Maw sets up in the toun's Arts Centre. She's daein a haill day this time, efter runnin an ad for a week in the local paper. The first three folk tae turn up will get their portrait done. Three Heids I'll hae tae sit through! I canna thole it, like. There's a braw chance I micht no mak it an I'll be hittin the flair some time this efterninn stane-deid fae the boredom.

Suddenly there's a loud chappin at the door. "I'm no ready yet," Maw shouts but the knockin starts again, this time on the windae. We see a white face gawkin in through the gless. "Joe, let them in. See whit they want."

I open the door an there's this muckle big geek o a man staunin ootside. His skin's sae peely-wally it maks his black een look like twa het coals drapped in the snaw. An his neb's that lang ye could hing a couple jaikets at least an mibbe a jumper on it. He burls by me, stotterin ower on tacketty bitts tae where Maw's pittin up her easel.

"Pent me," he says.

Maw doesna look at him. "No ready yet." She's takkin the lids aff her pots. "Come back in hauf an oor."

"Naw." The man grups her elba. "Pent me noo."

He's a big lad, tae. Twice the hicht o Maw an nearly three times as muckle as me. Chuckie showed me where tae kick a man sae he'll go doon an never get up. I tried it wance on a tattie-bogle in the field at the back o oor hoose an I jist aboot knocked masel oot. I tak a deep braith. I'm ready tae try it on this big numpty even though he looks like he could dae me in wi jist his pinkie fingir. But then Maw gets a guid lang look at the man's face an she staps in her tracks.

"Aye," Maw's sayin, still gawkin at him. "I'll pent ye. I'm Andrina Hunter an this is ma son, Joe. Whit's your name?"

"Donald," he sechs withoot takkin much o a braith.

"Hae a seat, Donald."

I shak ma heid. Even though he's six fit four an is a guid few sannies short o a piece-box, Maw still wants tae pent him. Wi his deevil black een an skin as white as a kirk waw, he's got yin o thae faces that ye dinnae see every day o the week. An unco faces like Donald's is exactly whit maks ma crazy Maw tick.

Pouin oot a chair, I clumph doon intae it an pretend tae read yin o the hunner novels Mr Broonlee brocht roon but the story doesnae really dae it for me.

Maw soon has Donald bletherin an as he rammles on he stares constantly oot the windae at the courthoose across the street. I dinna ken whit's gaun on in the muckle man's heid but he doesna look awfie settled. He drums his fingir-nebs nervously on his knees an every twa-three seconds his tongue licks at his dry chapped mooth.

WITCH
John Hudson

She bides amang the stanes, Joe. Tap o yon Cairnharrow. Yon hill up by. No minny men see her an live tae tell aboot it. Dinna gan up there, Joe. When ye're aulder, never gan up tae Cairnharrow hill. Ye dinna ever want tae meet the witch o Gallowa.

Ah saw her yince an ah'm aye shakkin yet. Ah still tremmle when ah hink aboot it. A dreich dee, it wis, five year since in Mairch. Nothin lik the day. Nae sun in the lift ower the Gallowa braes sheenin an sperklin an makkin awthin new an braw. Naw, Joe, yon day wis grey as dubs. A smirr o rain speckled the trees while the sea wis hacket wi broun froth frae the clart flung up bi Atlantic gales.

Ah wis a contractor for the TV company then. Ma job wis fixin thae muckle masts aw ower the Sooth o Scotland. Weel, there wis yin on tap o Cairnharrow hill an it wis needin fixed. The nicht afore, the haill o Gallowa had tint their telly pictur haufwey through *Coronation Street*. Some lads had been up immediately an ah wis tae mak sure awthin wis in its richt place. Puir souls doon in the glens an touns o Gallowa couldna be expectit tae thole a second nicht withoot their TV.

The coorse weather on Cairnharrow hill didna bother me. Ah'd heard aw the witchie stories but didna hink twice aboot them as ah rummled the company fower-bi-fower alang the aul ermy track that rins up the braeside tae the mast.

Yince ah wis oot the van, the win hit me an the smirrin

rain turned tae dairts, stabbin ma skin. Ah hed tae haud the safety hat on ma heid for fear the win wid blaw it aff. Ah took a lang look at the mast an brocht ma tool box oot the van. As ah did sae, ah heard the voice o a wumman. A lament she wis singin. Some aul, aul sang for the deid.

Ah couldnae see onybidy, Joe. Nae at aw. The brae wis empty forby a scatterin o big stanes aw doon the slope. Bit the voice wis still gan. Mair strang. Mair beautiful. Ah pit doon ma tool box an hirpled ower the rocks. The sang got louder. It soundit lik a young wumman's voice. A wise voice. Yin that ah seemed tae ken, yin that seemed tae ken me.

Then fae ahint yin o the stanes a lassie rose intae the air. Strecht up intae the air. She hed dark een an dark hair but her skin wis as white as the minn. Lang nails she hed at the end o elegant fingirs an loose roon aboot her in spite o the sair caul weather she wore a dress o white tied aroon the waist. Her lips were peely-wally an her teeth were white like crystal. An her sang. Oh, her sang, Joe. It wis as bonnie an clear as the winter lift that sperkles foo wi aw the sters an planets.

"Hi. Ye OK? Whit are ye daein here?" ah spiered. Ah felt sorry for her, puir drookit lass. Ah thocht she must be no richt. No richt in the heid, like. Wandered aff fae a home perhaps or fae parents fashin theirsels silly at their bairn gan missin. "Can ah gie ye a lift somewhere? Ah'll be feenished in the noo."

Ken, Joe. Ken whit she did? She laughed at me, richt intae ma face. A lang rough laugh that gaed through ma banes. Then she offered me her han. Jist lik that. Her fingirnails were pearly an glossy an whan ah looked frae her han tae her een, they lowed lik the eerie minn when she's juist risen. Ma heid an legs telt me tae rin for aw ah wis worth bit ah didnae. Insteid, ah felt in ma hert that ah wis the luckiest wee man on earth.

Ahint the stane she showed me a door. It opened intae the yirth itsel. Ah couldnae believe ma een bit there it wis, wi steps that descendit doon intae the grund an at the bottom o this deep pit ah could see a licht.

She led the wey. Ah followed, lik a dug follaes its mistress. Ah couldnae help masel. Whan the lass turned tae look at me, ma hert fair swelt wi love. Ah wis glaikit wi the perfumey reek o heather an soil that drifted aw aroon me. An doon ah gaed wi the lassie. Doon intae the yirth. Doon an doon an doon.

Efter whit micht hae been a oor or a day (ah amna sure hoo lang), we cam intae a chamber foo o licht an the guff o incense. The lassie invitit me tae sit. Slawly, the byordinar licht becam normal an ma een could see whit wis in the room. Chandeliers hingit fae a rough stane roof abinn a table set oot wi twa tassies poored tae the brim wi reid wine. Shaddas seemed tae dance on the waws which curved baith up an doon an roon in a circle. Ahint me there wis a gret gallery covered in picturs. The waws ran on intae ither chambers an those yins were happed in gloomy shadda.

Ah lookit deep in the een o the lassie an she keeked at the cups. She raxed oot tae pick yin up, noddin at me tae dae the same. Ah wis pouerless tae resist, sae strang wis the witch's glamourie. Oh, Joe. Ken whit ah did next? Ah drank fae the tassie o wine.

Then she pointed a skinny fingir at the second tassie. Ah picked up yon an gied her mine an we drank thegither. The wine slittered doon ma thrapple, burnin ma throat an kittlin in ma belly. Never hae ah felt such happiness, Joe. Lik a hunner Christmas Days rolled intae wan. Thon's hoo ah felt. Thon is hoo ah felt.

She then flexed her weddin-fingir at me wi its lang tiger's cleuk o a fingirnail an ah stepped forrit tae stan aside her. She gied me the sweetest kiss a man could ever dream on. A bonnie sweet kiss foo on the lips. Ma heid birled, Joe. Ah kent ah wis aff ma rocker bein awa doon unner the grund in a witch's bunker drinkin her potions an winchin her intae the bargain bit ah didna care. Thon saft kiss wis the happiest moment o ma life.

Bit it wis nearly the last moment o it as weel.

The lassie smiled, then stertit tae laugh. The same laugh she hed let oot her bonnie mooth whan ah hed spiered at first if ah could gie her a lift. She lookit strecht at me. Ma bluid ran caul. On the waw ahint her heid, ah got a better look at the picturs.

Yin o the picturs wis o a man. A pentin. Lik the yin yir maw's daein o me noo. Bit this man wisnae fae oor time. His claes were aul-fashioned, fae anither age. The man wis glowerin oot fae the pentin as if lookin at somethin in the room itsel. Aside this pictur hingit anither. A meenister this time fae even further back in the past. This yin stared aheid wi een lik gless jauries. Aw roon the chamber, mair men keeked glumly oot fae picturs thirled tae the waw wi lang roostie nails. Ma een flitted quickly ower them. Aw o them were male an aw hed the same sad glower. The gallery cairried on intae the ither chambers awa intae the darkness. Then ah saw a sicht that turned the bluid in ma hert as caul as the Arctic Sea. The newest portraits on the waw, wi the pent still shinin weet, cairried a pictur o each o the lads that hed been up Cairnharrow hill the nicht afore me tae fix the mast.

Whan ah turned roon, the lassie's face wis tough as whunstane. She wisna laughin ony mair. In her twa hans, she held a pictur in its frame. In the pictur wis me. Me. A perfect, perjink likeness o me. Mair lik me than even masel, it wis that guid. She pit it up on the waw aside the ither pentins an as she did sae, ah felt ma een heavy in ma heid an ah fawed asleep. Whan ah woke up, Joe, ah wis in the pentin, stuck in the pentin, keekin oot at the witch as she moved through the chamber clearin the tassies fae the table an blawin oot the caunles afore leavin me an aw the ither men alane in the dark.

"Whit a load o rubbish!"

Maw's no impressed. She's been mumpin aw the wey through Donald's story. I've been tryin tae shut her oot. Donald's story's pure mental. Much better than ma novel. An here's maw gettin angry at the man. I mean, whit's wrang wi her? It's jist a story.

"I explained at the start, eh? That I keep these pentins? It costs me guid money for the pent an the canvas. Ye can aye look at it whenever ye want but I canna gie it tae ye, ye unnerstaun that, don't ye?"

"Let him feenish his story, maw, eh?" I say fae ma corner.

"You're meant tae be readin, you. Git the heid doon."

I gie Maw a look an she gies me wan back but the girn has come aff her face.

Donald hoasts an carries on wi his tale.

Eh, well, five year, Joe. Five year in that fremmit land. Thon's whaur ah've been. In yon chamber wi aw thae men whase sowls are sneckit in her perfect picturs. She sings a sang tae ye. Every day, the same sang.

"Ye wantit tae be mine, ye wantit tae be mine an noo ye are mine, an noo ye are mine."

Slaw bit shair, ah wastit awa. Ma hert growed sair for ma ain folks bit ah knew ah wid niver see them again because ah kent the witch hed me.

Every twa days, she wid tak a stoorie-duster tae the pic-turs, talkin tae each man as she gaed. "Ye wantit tae be mine an noo ye are mine," wis her chant as she worked her wey roon the gallery. Aw ah could dae wis gowk at her.

Ah noticed though as each twa days went roon that ah wid feel a bittie freer. Bit on the second day when she dustit ma pictur for stoor an kissed it, ah wid feel jist lik a slave again. Like ma feet were set in stane. Ah jaloused that wi sae minny picters on the waws, she couldnae control aw thae speerits at yin an the same time. An ah guessed that eventually she wid miss ma pictur jist yince an ah micht hae a wee bit time tae escape.

Bit, thocht ah, whit wid ah dae if ah really did git oot? Efter forty-echt oors or so, the witch wid polish up ma pictur again. Whit wid happen then, like? Wid ah be wheeched immediately back intae the pentin? Or wid her spell mak me return lik a half-deid zombie wi ma airms oot in front o me an a slaver rinnin doon ma chin tae yon stane on Cairnharrow hill whaur she'd kiss me an we'd stert the haill thing ower again?

There wis ainlie yin wey ah could mak shair the witch widna claw me back.

"I mean I've heard a lot o things but I've heard it aw noo." Maw's pit her brush doon. "Imagine usin a wean tae get somethin for free."

"But it's the ainlie wey." Donald's hauns are shakkin, his een bleary wi tears. "Joe, you believe me, don't ye? It's the ainlie wey I can be safe. Yir Maw has tae gie me the pentin. I've got tae have it."

I can see fear scrivvit on Donald's face. It's a shrink he needs tae see, no an artist but whit dae I ken aboot adults? Law untae themsels, so they are. Still, this mannie isnae happy. Anybody can see that. It's like he needs the pentin mair than Maw does. An she's got twa mair Heids comin in the day anyway. It winna kill her tae gie yin awa, jist this wance.

"Let him hae the pentin, Maw."

"Keep yir neb in yir book, Joe," she says sherply. "Any road, I'm feenished. Donald can come an hae a look at himsel. An then he has tae go."

He comes ower an stauns aside the easel, his broo runkled an his een mair wattery than ever.

"It's too guid, Mrs Hunter. It's jist like hers. It's ower perfect."

"Well, I'll tak that as a compliment, I think. Thank you."

"Naw, ye'll hae tae guddle it up. Moger it. Chynge it a wee bittie. Chynge it a lot." His tremmlin haun tries tae grab Maw's pentbrush.

"Get oot, will ye!" she yellochs at him.

"Ye need tae chynge it, Mrs Hunter. Joe, tell her." He gies up an boos his heid, a muckle tear rinnin doon his face.

Soonds tae me like Donald's got lassie troubles. He should be mair careful aboot wha he snogs when he's oot fixin thae masts on the hills. He's definitely no right in the napper an I think his story's pure ghosters but whitever's gaun on, Maw doesnae like losin a pentin. She hates it mair than anythin. Great, I'm thinkin tae masel. This is a ma chance tae stir it.

"Maw," I say in an innocent wee voice, "if your pentin o Donald is too perfect, the witch'll hae him forever. He has tae hae a new portrait o himsel that isnae sae perfect an then he can brak her spell."

"Och, come on," Maw flings her hauns up in the air. "No you as weel, Joe."

"Please, Maw." I pewl, in a greetie tone. "You've drawn it too weel."

WITCH

"Ye sayin I'm a witch or somethin?"

This is really gettin her gaun. I can see the guilt chawin her up. Serves her right for makkin me miss gaun tae the MegaBowl wi Alan.

"Mak his lugs bigger or his mooth wee-er. Or his heid a wee bit wonky. If he can pit a no-perfect pictur up insteid o the witch's perfect yin . . . "

"She'll loss her power ower him. I micht be jist yir mither but I'm no glaikit."

"I'm right though, amn't I, Donald?"

A silence faws atween us. A lang eerie silence.

"Awright, I think you're a big chancer, Donald, but if young Joe's concerned for ye, well, here's yir chynges" – she wheechs her brush twa-three times ower the canvas – "an here's yir pentin."

Donald grabs it fae her. Wi a sech, he thanks her an nods at me. I wink back at him. Then a new licht comes intae Donald's een an he stauns strecht afore walkin awa doon the road past the courthoose, the pentin unner his oxter an the muckle mass o the Cairnharrow hill risin above him as he gans.

• • • • • • •

I get the pure skirls ·fae oor school librarian when I tak thae novels back til her. I'd been firin doon some o Donald's words on the inside pages afore he startit cowpin things ower. **Smirr o rain** I'd written an **tassie** which wis whit he cawed the glass that he an the witch drank oot o, if there ever wis a witch.

Maw's still gaun on aboot haein tae gie awa her pentin. It really got unner her wig, that yin. She clapped me on the heid, though, on the wey hame. Said she thocht I had a kind hert tryin tae help oot that puir sowel, Donald. I feel a wee bit bad aboot masel. I mean, it's ma faut she lost a pentin. But the bad feelin doesna last very lang. No when I find oot she's draggin me aff tae anither hoose o horrors, this time in Edinburgh.

Tae git some peace an quiet Maw's booked us intae a Bed an Breakfast doon at Leith. "Welcome tae Auld Reekie," the owner o the B+B, a roond mannie wi fat fingirs an nae neck, keeps sayin. "Hope you enjoy Auld Reekie." Every time he says it he looks at Maw an me wi his eebroos raised as if he's waitin on us tae gie him a roond o applause.

Maw brings her pent things up tae the room an gets star- tit. The first twa Heids are that borin I'm near gaun intae a coma. The man doesnae open his gub an the ither ane, a wife, cannae haud her tongue lang enough tae let air intae her body. It's that desperate I even start readin the geography textbook Herr Adolf Broonlee's gien me for extra hamework. While she's workin on Dr Dour an Granny Haivers, Maw says I can go ower tae the park at Leith Links an kick a baw.

When I come back, Maw's busy flingin pent ontae a new canvas. A man wi braid shooders an burnt broon skin is sittin in the chair, haudin his heavy heid tae the licht sae Maw can git at his profile. He's wearin a leather jaiket that's worn oot at baith elbas an a pair o jeans that auld an stoorie he looks like he's come straight aff a cattle ranch.

"Start again for Joe, wid ye, Mr MacDonald?" Maw doesna lift her een fae her work. "Sit doon, Joe. Mr MacDonald's got an awfie unusual job."

"Oh aye, whit's yir job well, big man?"

He gies me a look that maks me gowp. I get the feelin I shouldnae be cheeky tae this guy but och, it's jist wan o Maw's Heids.

"Ah'm a driver, wee man." His voice booms roon the room like the scud o the sea gaun intae a cave. "An ma proper name is Abu Akki Ifrahim MacDonald."

"Aye?" Abu Akki. Whit a freak, I'm thinkin, an I treat him tae a quality snochterie teenage sneer. "Well, they cry me Gaberlunzie Joe."

"A gaberlunzie is ayewis on the move." I notice the scaurs doon his face as his big daurk een burn intae mines. "Have you trevelled far, Gaberlunzie Joe?"

"I've been tae Aiberdeen an Kirkcudbright an, eh, Fawkirk. I've been tae Fawkirk."

"Hmph," he says, shakkin his heid. "Some gaberlunzie you are."

"Well, are you gonnae tell us whit ye dae or no, Mr Abu Akki whitever-ye're-cawed?"

I blink as Mr MacDonald's calm voice chynges tae a sudden angry gurr.

"Ken, if you'd shut yir greetin geggie an stoap bein an eejit for twa seconds, ah'd tell ye."

I look ower at Maw but she's pentin, a wee smile dauncin its wey across her face. I slide ontae the end o the bed, pouin a pillae in unner ma elbas an listen tae Mr MacDonald, keepin ma **geggie** as he cries it, firmly shut.

31

SENEGAL
Matthew Fitt

The Sahara, eh. Ah ken aboot the Sahara, like. There isna much ye can tell me, eh. No aboot the Sahara Desert.

Sand, ye see. Everywhere ye look. Juist sand. Dunes o sand. Glens o sand. Haill oceans o the stuff. Gits up yir neb. In yir mooth. Works its wey intae yir oxters an bides there. Like gless. Ye wash it oot, eh, but ye canna git it aw. Steys in there, cuttin ye when ye move. Stingin ye when ye sweat.

No like Edinburgh. Ach, it's barrie comin back. Ah went tae see the Siller Lass last nicht when ah got in. Beautiful, sae she wis. They're ayewis bonnie as new peens, waitin on me. The owners want a guid price sae they dicht an polish them until ye could eat yir felafel aff the bonnet. Fower times ah've been back here noo. It's aye braw comin hame. *C'est bon*, eh. *C'est bon*.

This yin's doon aside Murrayfield. *Mon père*. Ma faither. He used tae tak me there aboot a thoosan year ago tae go tae the skatin. We steyed at Abbeyhill at the fit o the Royal Mile. Some cheenges there, eh. Ah watched them bigg the new parliament on the internet. Some difference tae that place since ah wis a young gadgie. Fufteen ah wis when ah left. Ah've aye had restless taes. Like ma faither. He took us tae live in London an when ah wis auld enough, ah jist kept goin by masel. Sooth tae France an Italy. An East tae Turkey then China. *Le monde*, eh. Ah've seen everyhin ah wantit tae see. Ah'll go roond a couple mair times if ah have tae, ken. But there is nae hairm in comin back tae whaur ye began.

An it's barrie meetin yous, like. A break, eh. Fine tae hae a cup o tea, a blether an a sit doon oot the rain. Ah've been sleepin rough close on three weeks noo. Nine hunder poond in ma pocket but ah sleep unner God's roof. At the side o the road maistly. No bad in the summer. But the cauld goes straicht for ma banes in the European winter. See in November? Ah aboot chitter the teeth oot ma heid. Wid never spend the siller though on a hotel. No even a hostel. That's for thae backpackers, ken. Thae numpties that totter aboot the world wi half the contents o their bed-rooms strapped tae their shooders. Ah stey awa fae them. That's no whit ah'm aboot.

Ah'm pickin up the car at six the morn's mornin. The auld gadge that's sellin me it is awfie poleet but he's got a guid hert. Ah'm gettin a braw Siller Lass this time. *Elle est belle.* An the price isna bad as weel. Five hunder an fufty English for a twelve year auld Mercedes-Benz luxury sedan. Ah caw them ma Siller Lasses. She's had a bump an ah think she's spent some time wrapped roon a tree but Papa Diao in the Rebeus district will ken hoo tae straicht-en her oot. Ah'll git close tae twa thoosand poond for her in Dakar. The rich folk there are screamin an greetin for luxury sedans. Canna git enough o them, eh. Naebody can affoard a new Merc fae the showrooms. An there's nae money in it for the dealers shippin in second-haund cars, eh. That's whaur ah come in. Ah'll mak seeventeen hunder back on this yin nae bother.

Coorse, there's still the drive tae dae. Owerland fae Edinburgh tae Dakar. That's ma job. It's hoo ah mak ma livin. Ma wife bides there. She's Senegalese. Imbela she's cried. Licht o ma life. We bide in a brick hoose near Dakar airport. Been there ten year. She works for Radio Senegal an ah import Mercedes cars fae Europe. Things are cheap doon there, like. Yin trip gies ma wife an ah enough money tae live on for aboot three or fower months. Ah'll no need tae dae anither yin o these until Christmas.

See the drive doon's easy. Oot o Edinburgh or Hamburg or Milan. Efter a month settin it aw up ower the internet, three weeks hitch-hikin fae Dakar an livin like a tattie-bogle in the syvers aside the road, ah dae the deal, haund ower the cash an git tae sit ahint the wheel o a braw big Mercedes saloon or sedan. Oot fae Glesgae, Birmingham or Bordeaux. It's nae bother. Doon the autoroutes an the autostradas ah go wi wee villages an touns foo o folk snocherin in their beds whizzin past me in the nicht as ah dirl on through Spain tae Algeçiras. Look at yir map. The Gorgie Road tae Algeçiras. We're talkin a thoosand five hunder mile. An at that point ah'm no even half the wey hame. There's nae hairm tae drivin through Europe. A numpty can dae it. It's when ye tak the boat fae Algeciras an roll aff the car-ferry at Tangiers an drive oot intae Africa, that's when it aw turns radge.

The Sahara Desert is the maist muckle desert on the planet. It's a thoosand mile wide an mair than three thoosand mile lang. It rins fae Morocco in the west tae as faur as Egypt in the east an covers three an a hauf million square mile. Hardly ony rain faws on it. Jackals an hyenas nash aboot the dry land an vultures the size o eagles cross the sky lookin for deid meat.

An there's nae roads.

Ken in Scotland hoo the roads are aw happit in tarmac. Ye git a pothole every noo an then an yir car gaes ower it wi a dunt. The cooncil sort it oot in nae time an cars can hurl ower the tap o it again as if the pothole wis never there. Weel, it's the same story through England, France an Spain an even the north o Morocco. Thon's whaur Tangiers is. The Siller Lassie jist breenges alang past Rabat an Agadir tae the border wi Mauritania at a canny seeventy.

But when ye hit the Sahara, the stanes gaun across the desert tracks are that shairp it's like drivin on gless. The road shogs ye up an doon that much ye feel like ye're on a boat. Ye hae tae drink watter aw the time or the drouth will dehydrate ye an then kill ye. An the dust that comes aff the road ahint the car can be seen for miles an miles. Even inside the Mercedes itsel there's enough stoor tae choke a chihuahua.

An the Western Sahara is as flat as a tattie pancake. There's nothin there. Everywhere ye look, there's nothin tae see. Nae hooses, nae people, nae nothin. *De rien.* It's kind o mad, like. Drivin a posh expensive car across a toom desert plain wi the sun beatin doon an glentin like daggers aff the car's siller bunnet. There's nae signal for ye tae listen tae music on the radio or for a mobile phone tae caw for help. Ye're on yir ain. Completely on yir ain.

Thon's why on ma first trip ower the auld sandy monster ma hert aboot stapped when ah saw on the horizon a lang line o men on horseback.

Ah turned aff the main track ontae a wee-er yin immediately. Ah wisnae sure whit they wantit but ah didnae want tae hing aroond tae find oot. There were aboot twinty o them an fae that distance they were jist chitterin shaddaes but ah could mak oot fine the lang nebs o rifles stickin up fae their shooders. When ah saw thon, ah pit the fit doon, eh, thuddin the Mercedes ower the hard grund wi the wheels kickin up a clood o dust ahint me that rose on the wund like a sail.

For aw the stoor it took me a wee minute tae see that the horsemen were chairgin across the sand efter me. They caught up an for aboot twa minutes we drove an rode thegither neck an neck, the cuddies' nostrils flarin an pechin an the dour unsmilin men glowerin at me ower white cloot bandanas while the dusty sand skirled roon aboot us. Eventually, a tyre brust. Bang. The car went doon at yin side an skittered tae a stap aside a wee dune.

The men didna shout ony orders at me. They were awfie canny in their speech. Ah ken noo they were Saharawi warriors. Yin o them got aff his cuddie an opened the car door tae me as if he wis the bellboy at the Ritz Hotel haudin the door for a film star. He reached intae the back seat an brought oot ma travellin poke. Then he stertit haiverin awa in his language. The ainlie word ah unnerstood wis 'passport'. Ah thought, that's it. He wants ma documents tae sell on the bleck merket. Ah'll no git hame noo. Ah'll no see Dakar or Imbela or Leith ever again.

Ah indicatit it wis in the glove box an he foond it in twa ticks. But insteid o pittin it intae his pocket, he handit ma passport back tae me. Then the riders unpacked a meal o breid an spices an laid it oot on the sand. They invitit me tae sit wi them an sae, while twa o them chynged the brust tyre on ma Siller Lassie, ah ate couscous an dried fruit wi the rest.

The men had lean hard weather-chappit faces. Their baney foreairms rippled wi muscle. They wore the raggity uniforms o rebel sodgers that time had rived an worn at tae there wisna much mair than a thin cloot atween the men's backs an the shairp deidly sun.

Yin o them flung a rock intae the desert. The stane stotted aff the dry grund wi a puff o stoor. The sodgers suddenly collapsed intae wild kechlin laughter. Ah smiled wi them but ah didnae ken whit they were wettin their breeks for. The same sodger then hurled anither yin high intae the bricht Sahara glare. This time when the rock skelped doon

intae the earth, a radge yellae an bleck explosion shot hauf
a ton o sand up intae the air shooglin the grund we sat on
an cawin dauds o debris ontae the roof o ma Siller Lassie.

"Hey." Ah stood up, no happy but no sure enough o
masel wi these airmed horsemen tae go aff ma heid at
them. "Whit are yis up tae, eh?"

The stane-flinger turned tae me. He wisnae smilin ony
mair. He jabbed his fingir oot at the desert. "Minas," he
said. "Minas. Morte. Morte." Ah had been drivin towards
a minefield. The sodgers had stapped me jist in time but
hoo naebody had been blawn intae ooter space ah've nae
idea. The twa gadges fixin the tyre had feenished their
work. The ither sodgers were packin up their pita-breid
pieces an reddin the cuddies. The heid rebel came up tae
me an ah held oot ma haund for ma car keys, preparin whit
I wid say tae thank him for helpin me oot. Insteid he handit
me the reins o his horse an climbed intae the driver's seat
o ma bonnie Siller Lassie. Wi the horsemen roond aboot
the car like an imperial guaird, he drove aff intae the desert
in ma Mercedes. Ah had nae choice sae ah follaed him.
They saw me as far as the nearest toun an left me there car-
less, cuddieless an athoot a shillin tae ma name. Ah didnae
see that Merc again. That wis shan, like. Pure shan.

But rebels isna a problem tae me noo. Ah bring bottles
o *Irn Bru* an boxes o shortbreid wi me. Ah've learned that
aw they want is somethin wee tae keep their honour intact.
A gift, like. Some guys daein this run arenae sae canny.
Sometimes they cairry guns theirsels. They dinna last lang.
The rebels are guid fechters an there's aboot ten lads fae
different European countries lyin in the desert noo hauf
happit by the sand, their banes growin whiter year on year.
Ye can tak yir chance wi the rebels if ye ken whit ye're
daein. If ye're prepared, if ye've done yir hamework, ye

usually dae fine. Ye can kind o predict whit humans will dae. But it's no the same wi the desert.

Ma second trip wis radge tae, like. Ah nashed past the rebels nae bother, eh, but the trouble stertit when ah got ontae the Beach Run atween Noumghar an Nouakchott.

A belt o muckle sand dunes in the centre o Mauritania, each the height o the Calton Hill, maks it impossible tae drive straicht through the desert. The ither route gaun inland taks anither seeven days an is foo o minefields. The Beach Run is the fastest wey doon tae Dakar but it's no for fearties. The locals aye tak the lang wey roond. So dae the rally drivers that dae the daft race fae Paris tae Dakar every New Year. But ah canna affoard the petrol. An ah ayewis want tae get hame as fast as I can tae ma Imbela.

So that first time daein the Beach Run, ah rolled the car tae the desert's edge an waited for the richt tide. As soon as the burlin seas recede efter the high watter, ye hae six oors tae drive three hunder mile across the sand afore the ocean comes in again an catches ye.

The high tide thon time wis at daw o day. Afore the sun wis mair than a lowe in the east, ah stertit slaisterin carefully through the wee waves on the beach at Noumghar. Ma wheels skited an slipped on the still weet sand an ah nearly got bogged doon. But yince the sun came up a bittie higher in the sky the sand hardened an soon ah wis fleein alang the beach, the muckle Saharan dunes touerin ower me on ma left an the sillerie-blue Atlantic a safe distance awa on ma richt.

Ah wis makkin guid time, eh, firin the car ower the fringe o gowden sand that raxes doon the North African coast. Ah wis aboot burstin for a pee, though. Aw that wey drinkin bottles o watter, ken. Ah wis aboot greetin. Ah didna want tae stap an waste time but ah didna want tae dae it in ma troosers either sae ah pulled up. Ah had a wee walk tae, jist tae streetch ma legs. Ah didna want tae stert crampin up. But when ah got back in the car, ah realised ma mistake. The tide had turned an ah could see waves that had been wee tottie lines o white becomin muckle roarin breakers. An aw the time they were gettin closer.

Ah pit ma fit tae the flair that hard ah could feel the metal o the pedal bruisin ma taes. Ah had aboot thirty mile still tae dae an there wis nae wey aff the beach through the muckle sand dunes. The waves werenae far awa noo. Ah could taste the saut in the air. Ah jist had tae keep gaun.

At aboot five mile tae go, ah wis thinkin ah wis gaun tae make it when ah hut a stane an the rear tyre blew oot. Ah lowped oot the car an chynged it as fast as ah could. But as ah turned the last bolt on the wheel, the sea dreebled in ahent me an washed ma bitts. Wi deep braiths ah drove aff through the licht surf. Ah couldnae go ony higher up the beach as the sand up the tap wis that saft ah wid hae got stuck immediately sae ah jist had tae batter forrit. Ah kent that at the end o the lang beach there wis a muckle rock. Strainin ma een for this big rock, ah nashed on.

In aboot anither twinty minutes, ah got ma first look at the big stane. Right ahent it wis the stert o the road that wid tak me tae Dakar an hame. The spray wis fleein aw aboot me an ah had tae swerve tae jouk the big white waves as they came birlin in up the beach. A lang lick o a wave skelped the side o the Mercedes but the watter steyed oot o the engine. Jist. Ah hurled the car towards the rock. Ah'd driven twa an a half thoosan mile an ah wisnae wantin tae lose ma Siller Lassie, no richt at the end like this.

But, ken, ah didnae even see the wave comin. Ah wis jist aboot there, tae. Aw ah had tae dae wis fire roon the rock an ah'd be safe. But this muckle great heefer o a wave stotted ower me an in twa seconds the car had peched an choked an come tae stoap twinty feet awa fae the rock an the road tae Dakar. Aw ah could dae wis climb oot an watch the Siller Lassie be taen by the hungry bealin Atlantic Ocean.

Ah've ainlie ever loast twa cars. Ah aye bring stuff like mobile phones or digital personal organisers for the rebels, though whit they're gonnae dae wi thae things oot there ah've nae idea. An on the Beach Run fae Noumghar tae Nouakchott ah dinna stap for a pee, nae maitter hoo burstin ah am. Ah've driven Edinburgh tae Dakar that many times noo ah suppose ah could dae it in ma sleep but ah dinna tak the desert for grantit. Ye can never ken whit the auld Sahara's gaun tae fling at ye. It's jist like life, Joe. Ye never ken whit's comin next.

Radge. **Barrie**. **Shan**. The words Mr MacDonald used in his story. Maw says he wis right Edinburgh. He spoke French as weel. An Senegalese. But gaun aw that wey wi thae cars. I didna like him tae start wi but see efter I heard whit he did, I didnae think he wis that bad. An he wisnae wrang, tae, aboot no kennin whit's comin next.

Shetland. Ultima Thule. The ends o the earth. Ken, sometimes I dinna think I'm ever gonnae see Alan an Chuckie again. Maw says I amna groonded but until ma school reports improve I've got tae come wi her at weekends an holidays. She tells me it's guid for me. Guid for her, mair like.

An comin tae Shetland? That means a train tae Aiberdeen an oors an oors booncin up an doon on a ferry aw the wey tae Lerwick, the biggest toun on the Shetland Isles. When I get aff the ferry in Lerwick ma legs are like jeely an ma belly's churnin. I dinna let on, like. I jist pick up Maw's bag an try no tae stacher on the road up tae the taxi rank. It's the end o the Christmas holidays an we hae a week o pentin in front o us. Maw's lined up aboot a dozen Heids an Mr Broonlee's lined up six history books aboot the Wars o Independence tae torture me wi.

The wund hasna stapped blawin. It skites in fae the sea cauld an roch an skirls unner the doors an doon folk's lums. But the double windaes o the artist's hoose we're stayin at jist turn the sair Atlantic gales awa. The artist's a pal o ma Maw's but she isnae at hame this week sae we hae her hoose tae wirsels. An for a chynge we hae a real artist's studio tae pent in, a waarm yin tae, insteid o some freezin community centre or ice-cauld kirk ha.

Broonlee's history books are ainlie marginally less heid-numbin than the bletherie drivel o Maw's first three or fower sitters. Their faces micht be interestin but their crack certainly isnae. On Wednesday though I get a break fae the gloom. That's when Mrs Johnston chaps on the windae aboot forty-five minutes late for her sittin.

"Come awa in," says Maw. "Gaberlunzie Joe, move yer bum an let Mrs Johnston sit doon."

"Och, lat da boy bide whaar he is," the lady breks in. "A'll be fine here. An, fur heevens sake, jöst caa mi Sheila, baith o you."

I'm slowly tunin in tae the wey Shetlanders speak but it's taen ma lugs a guid twa days an twa nights tae get used tae it. Still, I ken straight aff that Mrs Johnston'll hae a story in her. It's the een that tell me. They look as if they've been there forever.

"An foo is du gettin on, Joe?" she spiers me. I say that I'm bored oot ma mind an pure fed up. This is for Maw's benefit mair than Sheila's. Any chance I get I gie her grief aboot draggin a thirteen year auld boy hauf wey roond Scotland an giein him daft nicknames. But I'm gled though when I see Mrs Johnston is no takkin the huff. I widna mind hearin whit she's got tae say.

"How wis yir Christmas, Sheila? Did ye hae a braw time?"

"Weel, I wid say hit's een wir no likely ta foryat, dat's fur sure."

She laughs an it's as if Maw has pressed the button for the launchin o a ship. I can see it's gaun tae be wan o thae sittins. Nothin mixes Maw's pents better than a guid story an Maw is mixin furiously.

DA SPIRIT O CHRISTMAS
Christine De Luca

Weel, hit sterted aff jöst wir usual kind o Christmas day. Me an David an Kirsty – dat's mi bairns you ken, der a coarn younger is dee, Joe, ten an twal – we'd gotten aathin ready for mi bridder Peter comin ta join wis, an mi fock tö. Dat's da bairns' Granny an Granda. We usually aa spend Christmas day tagidder at wir hoose. Peter is der favorite uncle, especially since dey dunna see dat muckle o der faider. He bides in America noo, ye ken. Hes anidder family.

Everythin gud accordin ta plan till hit wis time fur da turkey. I dunna ken whit hit is aboot me an turkeys. I aye tink A'm planned enyoch time for hit ta be richt cookit, but ivery year hit's a chorus o "Is da turkey no ready yet?" I hed gotten Granny ta da keetchen ta poke aboot da turkey's oxters, fur shö shurly hes fifty turkeys ahint her bi noo an sud ken whin he's ready. David an Kirsty hed nippit aff eftir wir soup ta play wi yon dwined PlayStation at Peter wis gien dem. An Granda wis gyaain daft tellin dem ta get back tae da table an ta mind der manners. Hit wis aa par fur da coorse, as we wid say.

Granny wanted mi bridder Peter ta carve da turkey, sae he cam trowe ta da keetchen, foo o himsel is ivver. Da bairns jöst adore him. He can dö nae wrang i der een, nor mi midder's een fur dat maitter. He lats dem swear an bide up late an things lik dat. He's aafil. He even encourages dem ta be cheeky tae me! Caas me his peerie sister in front o dem!

43

Sae he cam trowe tae da keetchen ta help me, silly paper hat an aa. An Granny gud back tae da table, nae doot tinkin shö'd dön her bit fur Queen an country.

So dan hit was "Scalpel, nurse" an sic lik. An "A'm goin in now". Dat wis him gettin at da stuffin. Whitna kerry on he maks! I wis busy wi da gravy an tellin him ta mind his fingers on da tully. He hed wan ee apö da turkey an anidder on da goldfish bowl. Hit sits apö da tap o da fridge, you ken. Kinda ower clos fur comfort whin der's twartree o you i da keetchen.

He started on aboot da goldfish gettin a bit lang i da teeth, jöst lik me! Whitna cheek he hes! I telt him straight at dey wir baith tree year auld dis Christmas. Santy hed browt dem whin Kirsty wis nine. Wir Kirsty, shö gied dem a richt daft pair o names. Eftir dis dwined television programmes of coorse. Wendy an Stan, dat's whit shö caas dem. I telt wir Peter at peerie Wendy is bön a great sheeks aa her time an dat Stan's da strong, silent type. I ran mi finger alang da bowl, an as ivver, Wendy darted towards hit, mövin is I möved mi finger. Shö moothed fornenst da gless is I spack ta her. You ken, hit wis as if shö wis luiken at me. Is shön is I took awa mi finger, Wendy swam awa. Dat hed bön her wye fur tree year.

I gud back ta mi gravy makkin, fair prood o wir peerie Wendy. I telt Peter at shö's a very affectionate peerie fish, an sensitive. Shö even kens da tone o mi voice.

Peter wis obviously sceptical. "Dat'll be richt," says he, wi a funny luik comin ower his face. As if I cam fae a different planet.

Bi dis time, I sud a said, Kirsty wis plyin Granny an Granda wi mair wine. Dey hed hed a fair wait fur da turkey tae be richt cookit, sae dey hed gotten farder doon da bottle bi dis time is dey wir wint tae. Da paper hats wis a coarn mair skew-wheef is usual, dey wir gaffin at da daftest o cracker jokes, and wir even tryin oot da puzzles at cam wi dem.

Whin I wan trowe wi da first o da plates Granny announced hit wis wirt waitin fur, an Granda gied a blast on wan o yon tootlie flute things at you fin athin crackers. Kirsty an David took ee luik at een anidder. Dat said hit aa. Back i da keetchen Peter wis aboot ta come an set him doon but couldna resist haen a peerie spaek wi da goldfish first. He pat his finger tae da gless bowl, but Wendy turned an fled tae da idder side.

"Du's a sensitive sowl, I hear! Dat'll be richt. Weel, wir no hed wir fish coorse yet . . . so, jöst du wait!"

I telt him ta white dan I cam back trowe an joined dem at da table. Granny shouted, "Peter, dy maet is gettin cowld!" Shö still tinks o him is her peerie boy, although he wunna be seein forty again. Wi dat, he cam trowe an set him doon ta tuck inta da faest. I can tell you hit wis horrid fine, despite da delay.

Dan I suddenly minded I had foryatten da cranberry sauce! Granda said, "Lass, nivver leet, der's enoch maet here ta feed an airmy!" But dan I kent he wisna aa dat taen wi cranberry sauce.

Weel, whin I got tae da keetchen der wis somethin no fully richt aboot Wendy. Sae I asked Peter whit on aert he'd said tae da goldfish.

"Whit does du mean?" says he.

Sae I telt him dat he man a offended Wendy fur shö'd taen twa gulps o air an turned turtle!

Weel, wi dat der wis a mad dash tae da keetchen ta see whit hed happened. Dere wis poor Wendy, limp an lifeless, slowly flottin tae da tap, an Stan dartin aroond dementit. Kirsty luikit kinda glum.

Peter pat his airm aroond Kirsty's shooder an, if I mind richt, he cam oot wi "Michty me, I didna wiss her ony herm. I said very little. Naethin really. I sall buy dee anidder goldfish, Kirsty, is shön is da shops open eftir Christmas." Bi noo, poor Stan wis nudgin da dead Wendy aroond da bowl. You can see at things hed definitely taen a doonward turn. I could sense at a gless o wine wis no gyaain ta fix hit edder.

Sae I jöst says "Come on noo, bairns. We canna mak a better o hit da day. A'll jöst fish her oot an arrange a quick burial at sea, an you can aa get on wi your turkey!"

Kirsty luikit consternated. "Your no gyaain ta flush her doon da laavy, mam, are you?" David joined in. I could see I wis on tae a loser, sae I backit aff. Uncle Peter tried ta come tae mi rescue.

"A'll tell you whit we'll dö," says he. "We'll feenish wir turkey an dan, while dat's shakkin doon, we'll dig a peerie hol fur her i da back gairden, an gie her a proper send aff. We'll pop her in, an dan, eftir wir hed wir Christmas puddin, we can hae a peerie ceremony fur her. Foo does dat soond? We can mak up a sang !" Wi dat dey aa agreed an gud back tae da table. Da peety o hit wis da turkey didna seem quite sae mooth-waterin eftir dis onkerry.

Dan hit wis Granda's turn. "Whit aboot da Up Helly Aa sang?" An wi dat he burst inta da first twa lines.

"Floats da raven banner o'er us
roond wir dragon ship we staand!"

Man, you wid a tocht he was seein da galley burnin on da funeral pyre! He nearly browt tears tae his ain een wi his singin o da auld sang. Bit da bairns shouted him doon.

Kirsty plöted at shö wanted a Christmas carol. But Granny wis adamant fur shö said, "No fur a goldfish, dear. No even fur wan is fine is Wendy!"

Peter toppit up da wine glesses an da search fur a suitable sang or tön ta set wirds tae began in earnest. Dan he raise up fae da table an announced at afore he got ower paloovious he wid geng an dig a peerie grave i da back gairden. Baith Kirsty an David followed him oot. Somehoo hit seemed mair important is feenishin der roast tatties or even makkin up da sang. Dey left dat tae Granny an Granda.

Weel, nae shunner wis da trowel fun an da hol dug, dan I hed ta scoop Wendy oot, an pit her i da grave. Granda hed med a langship oot o his paper hat, jöst lik a real galley an dat gud in afore Wendy. Hit wis almost a proper Viking burial . . . weel, no quite, since hit wis i da back gairden. Der wis a few coorteens twitchin at we could see roond aboot, but we nivver löt on. Dan hit wis back inside. Poor peerie Stan, he luikit kinda lonely. We cöllied aboot him on wir wye tae da table.

"Poor peerie ting!"

"Less a less!"

"We'll get dee anidder freend!"

Peter said nithin except dat goldfish shurly didna hae a sense o humour.

Bi dis time da turkey wis weel shakkin doon an we wir aa ready fur wir Christmas puddin. It seems aafil ta say, but we could hardly swally fur gaffin. I tink hit wis da wine, fur truly da sangs an wirds suggested got dafter bi da spönfu. Eventually we settled on a version o Auld Lang Syne. Hit wis Granny's choice. Nae nonsense, dat's aye bön her wye. Kirsty typit da wirds oot on da computer, printed aff copies fur wis aa, an dished dem oot.

Oot we aa troopit eence mair an stood aroond da grave. Wendy's fishy ee luikit up at da heevens, unblinkin. I could see mair coorteens twitchin alang da backs o da hooses. Granda hosted, cleared his trapple. Da wine hed assured him dat he wis da best bass dis side o Lerrick. We aa took turns ta pit in some o da aert, an Kirsty did da honours o levelling hit aff, an pitten da Christmas rose (fae da Christmas cake decoration) on da tap. Dan Granda raised da tön. Nae precentor i da kirk could a dön a better job.

"Should Wendy Johnston be foryat, an nivver browt tae mind
Sic things'll nivver happen here, shö truly wis dat fine.

Fur Wendy Johnston's gien, my dears, wir Wendy's bit da dust,
Sae raise a gless tae memory, an freends at you can trust!"

You ken, I tink we wir surely aa faain fey. We even crossed wir airms an took hands an repeated da hidmist twa lines, an nearly trippit up ower een anidder i da darknin.

Sae dat wis dat. We feenished aff wir Christmas puddin an fell onta da cooch an flör.

Da fresh air shurly helpit sober Granny up, fur nae shunner wir we set wis doon is shö said, "Time fur da Queen." But truly da Queen couldna compete wi wir ceremonial.

"Weel, Kirsty an David," said Uncle Peter, "you're aye bön wantin somethin a bit different at Christmas. Did dis een live up tae your expectations? Neest year we could hae a peerie memorial service i da back gairden ta mark da event. Foo wid dat be?"

Kirsty hed da final wird on dat topic. "I tink der's a lock tae be said fur whit we used ta caa a borin Christmas."

An wi dat shö switched on da telly.

Mammie's boy. That's whit they're cawin me at the school. Alan an Chuckie'll no say it tae ma face but I ken they startit it. Bampots. They dinnae ken anythin. Cryin me "mammie's boy" like that. Thae twa bams never go mair than ten feet fae their mithers' peenie-tails.

I go everywhere, like, because I'm Gaberlunzie Joe. Maw still gets on ma nerves but I'm gittin tae see an hear hunners o things, things that wid mak Alan an Chuckie's stupit mooths drap open. I like it best when Maw's sitters tell a story. Maist o the time they come oot wi ghosters. I'm never sure if they're true or no. Some o them have tae be true but I think a lot o the folk are jist windin me up, jist tryin tae gie the "wee laddie" a fleg.

That's definitely whit's goin on wi this next yin. We're in Glesga sae whit dae ye expect? The patter here is no real. Everybody's got a story an everybody's aye lookin tae take the mick oot o ye. It's the Capital City o Ghosters, I'm no jokin. Dead freenly folk, like, but they get that wee glent in their ee an then ye're no sure whit ye're bein tellt.

We meet Danny Belshaw in a pub. Maw winnae let me in sae I hae tae staun ootside while she finds him at the bar. I get growled at by a couple o dugs and an auld wifie staps tae hae a blether wi me until Maw comes oot wi Danny.

Danny's been blessed wi a scud o ridd hair an a coupon foo o fernitickles. We go doon tae the sports centre Maw's booked an set up in the big ha between six mad gemms o fitba an some guys wi muckle biceps on their airms an shiny baldy heids that are climbin a fake rock waw an tryin no tae faw aff it.

I park ma bahookie on the flair an read ma history book, waitin on the story startin. Danny tellt us on the road doon

49

he's got a stotter for us.

"Whit are you up tae?" Maw spiers me.

"Nothin."

"Aye, that'll be right. Noo sit you still tae I get Danny here sorted."

THE STREET WI FISH AN THE AULD SINGIN TRAMP

Hamish MacDonald

Awright Joe? How's it gaun mate? This is ma story. But furst ah'll tell ye a wee bit aboot wher ah grew up, no a million miles frae here, cause that's wher the story began fur me – an aboot how ah came tae know the tale a The Auld Singin Tramp.

Ye might no believe this, but ther wis fish under oor street. Eels maistly. Yi could howk them oot wi a worm tied 'n a piece a string, cause eels're vicious, an when they bite oantae sumhin they don't let go. The stank said:

GRAHAMS IRON FOUNDRY

FALKIRK

an yi drapped yir string doon atween the bors. Wan night jist afore daurk, a boay stood ther wi a fishin rod an he hid a stick float an a hook wi a bit a breid oan. Ee drapped the line doon an evrubdy wis laughin an pointin it um. Ee looked lik a right dweeber, staunin ther in ees snorkel parka, fishin doon a stank, but ee jist went oan staunin ther concentratin an no botherin wi emdy. Anen aboot five minutes later, dis ee no pull up a roach, an English kinna fish, an we hud tae lift the stank tae get it oot. It wis a beauty, pure silver wi rid fins, glintin aff the streetlights. It wis some sight. It really wis. The next day evrubdy wis oot wi rods, staunin roon the stank.

51

It wis because a the overflow away up at the canal. See, whin yi got a spell a teemin rain, the risin canal would flow ower the spill, doon through this iron cage anen intae a pipe. It flowed fur aboot mibbi hauf a mile, under the streets then away oot intae the Clyde somewher. Ah suppose it wis a kinna flood prevention hing, an the fish jist swam doon if they felt like it. It wis a weird spot up yonder, big green spiky rushes grew roon the cage, an if ye listened long enough yi could hear voices whisperin in the watter as it flowed doon the pipe. It wis best no tae hing aboot ther long, mind ye, in case yi went total doo-wal awthegither. Folk used tae say that if ye hung aboot ther too long, listenin tae the wattery voices doon the pipe, ye wid end up as crazy as the Auld Singin Tramp. Aye, ah often wundert whit happened tae him, an wan day ah wis tae fun oot.

But ah'll tell yi a funny hing that happened wance. The Queen came oan a Royal visit tae a factory doon Clydebank, an the sook-up managers decided tae pit in a wee goldfish pond tae impress ur. She came an she went, shook a few hauns an didnae even notice the pond. The next day they took it apart an cowped the fish intae the canal. They bred in their millions, and fur a year or two yi could catch goldfish doon the stank. Thir wisnae a hoose in oor street that didnae huv a goldfish in a bowl, oan tap ae the telly ur oan the sideboard.

Oor street wis a cul-de-sac. Wan time, a plane goin intae Glesga airport went 'n fire, an a propellor fell aff it an went right through the roof intae Missis Tait's. Ther wis naebdy in at the time. Jist as well cause she'd mibbi huv kecked hersel.

At the tap a the street, wher we lived, ther wis a wee roon circle cawed "the field", full a weeds wi wee yella buds, an ther wis always a black patch in the middle frae bonfire night. We played fitba in the field, an sometimes if ah heard a car speedin by away somewhere in the distance, ah used tae like kiddin oan it wis the sound ae a big crowd roarin, goin WAAAAWAAH. It wis great if it happened jist as sumdy wis takin a shot.

Ah mind the first time ah ever saw the field. It wis January, snawin really hard, an yi could hordly see a fit in front a yi. It wis the day we flittit tae the street, an me an ma whole family wis walkin up tae wir new hoose. We wir aw huddled thegither wi cases an bags, movin forward, when oot a the snaw came this long, deep, mournful noise. It minded me 'n a David Attenbra programme ah'd seen aboot whales. The snaw wis bein driven like a whirlpool bi the shape a the cul-de-sac, and right in the middle o it wis this long dark figure, singin. Ma Da reached intae ees poakit an drew oot a fifty-pence bit an telt me tae go an gie it tae the man. Ah stepped ontae the field taewards um through the whirlin snaw.

Ee hid nae bunnet, jist a few clumps a grey hair growin oot ees baldy heid. Ah mind the snawflakes meltin oan ees napper as they landed. Ther wis this awfa big flabby lump growin oot ees foreheid, hingin ower wan eye, like a meltit dalek, an slevers droolin oot ees mooth as ee sang. Ee hid a long scabby coat an tattered troosers. Ah haundit um the coin an ee jist kep singin an gave a kinna slow nod, an ah seen in ees eyes this awfa terrible sad expression, full a fear an dread – like ee wis forever lookin away back through time at some terrible event an could hordly see the world that was in front ae um at aw. An ever fae then oan, ah wundert aboot the aul filla, an whit could've possibly happened tae um, an minny's the time ah ast ma Da, bit ma Da always telt me he didnae know. Ah ast um that oaften ee got sick ae it, an tellt me tae mind ma ain business, cause as faur as he wis concerned ah wis beginnin tae sound obsessed wi the whole hing. "Never you mine the Auld Tramp," ee goes.

Aye, but it never stoaped me hinkin aboot it. Sometimes ah wondered if years ago ee hud been some kinna war hero, an hud gote emotionally damaged efter witnessin ees best mates gettin blootered bi a tank shell. Or mibbi ee hud been some world famous classical composer, an hud turned hissel intae a mad droolin jube-jube by sittin up night efter night tryin tae compose the perfect symphony. The Singin Tramp came evry Setterday mornin: hail, rain or shine, staunin ther in the middle a the field singin the same auld dirge, giein the same slow nod when yi gied um a coin an always wi yon same hauntit look in ees eyes. A look o fear an dread. So the years came an went an so did the Auld Singin Tramp, until wan day when ah wis aboot thurteen.

Ah heard um singin as usual, an goat the fifty-pence Da hud left fur um oan the mantlepiece. Ah walked up tae gie um the coin, anen jist as ah went tae haun um it, ee held oot ees auld tattert erm an wrinklt haun, then fell straight backwards oan ees back. Ee wis lyin ther 'n the bonfire patch, sterrin straight up at the sky. Ees mooth wis wide open, as if ee wis still tryin tae sing, but nae sound wis comin oot. An ees eyes wir wide open wi that same hauntit look, only a bit sharper, as if ee'd got a really sudden fright. It wis pure dead obvious ee wis pure dead deid.

Folk were comin oot an staunin roon um, anen sumdy said that ther wis a man in Boyle Street that knew who the aul filla wis, an they sent sumdy fur um, an the man's name wis Brendan O'Hara. Anen Brendan O'Hara came an ee says the aul filla's name wis Pat Flynn, an that ee'd worked wi um years ago, an that he hud a sister that wis mibbi still alive away doon in the Vale a Leven. Anen the polis arrived, an they asked evrubdy questions, anen an ambulance came an took the auld man's deid boady away. Anen ma Da came hame, an ast me fur a laugh if the aul filla hid died afore or efter ah'd haundit um the fifty-pence. Anen The Boay That Caught The Roach Doon The Stank fell doon oan the bonfire patch an lay ther like a stiff kiddin oan ee wis the auld deid man, an ees Maw came oot an dragged um up bi the snorkel an cloacked um wan an dragged um in. Anen ma Da an Brendan O'Hara went away oan the blue train tae the Vale a Leven tae try an find the sister that wis mibbi still alive, an they didnae come back till aboot ten a cloack it night, an they'd bought some cans a beer an they wur sittin in oor livin room huvin a wee drink, jist the two ae thum. Aye, an that wis the very night ah'll nivir forget, even if ah live tae a hunner – the night ah heard the story a whit hid happened tae Pat Flynn the Auld Singin Tramp, an whit hud made um doo-wal an dytit.

See, ah used tae like sittin under the table ben oor livin room, cause it wis wan ae the few places in the hoose yi could get a bit a peace, an ah used tae sometimes duck doon ther an read a buik. Well, ma Da an Brendan O'Hara wur sittin drinkin their beer an talkin away, an fur aw ah knew they didnae know ah wis ther, anen O'Hara goes tae ma Da, ee goes:

"Heh Wullie, dae ye want tae know the story a whit happened tae Pat Flynn, an how ee ended up a mental auld tramp?"

Ah sat bolt upright, an banged ma heid, anen ah sat dead still, cause ah knew fine-well ma Da didnae want me tae know the aul filla's business, ee'd telt us a hunner times. Anen O'Hara telt ma Da the story, an aw the time ah wis sittin ther like a statue – heh, man, ah couldnae believe ma ears – an 'is wis the story.

Ye see, Pat Flynn wis a quiet, sociable kinna bloke, an ee worked as a night watchman. Wan time ee wis workin oan this auld mansion hoose that wis gettin renovatit, ower oan the faur bank a the Clyde. So, evry night ee gote the Renfra Ferry ower the manky Clyde tae get tae ees work, an stoapt aff fur a pint in the Ferry Inn oan the wey, through the wee door under the Johnnie Walker's cloack. Sometimes ee'd meet some a the tradesmen comin aff the joab, an some a thum wur a wee bit edgy workin ther, cause the auld guy the hoose hud previously belonged tae hud flung hissel in the Clyde wi bricks in ees poakits, an ee'd hud the reputation a bein a right weirdo. Ee wis meant tae be a warlock an aw that. It wis an auld kinna gloomy fawn-apart mansion hoose, staunin aw bi itsel 'n the banks ae the Clyde. Anywey, Pat Flynn jist hid a wee laugh at this – ee'd been a night watchman fur years an ye ayeways got aw these bammy stories aboot hauntit places an aw that but nuhin bothert um. Ah mean, if ye believed anyhin lik yon, sittin somewher oan yir tod aw night, ye'd widnae stick bein a watchie fur very long, wid ye?

So, this wan night oan ees wey tae work, Pat wis sittin mindin ees ain business at a wee table in the Ferry Inn, huvin a pint an readin the fitba pages in the Evenin Times. Aw ae a sudden ee git a fright, fur this bloke wis staunin right in front ae um, an ee seemed tae've jist appeared oot a thin err, but Pat'd been engrossed in ees paper, so ee wisnae that surprised ee'd goat a surprise. An this bloke goes:

"Heh, ur you Pat Flynn?"

So Pat goes:

"Samattrafact ah'm ur. How? Whit's it tae you?"

An the bloke goes:

"Ma name's Mister Hughes. Ah'm a painter an decoratur, an ah've been sent doon bi the gaffer tae dae a night-shift at the auld hoose."

An Pat goes:

"Haud oan. Naebdy telt me ther wis a nightshift oan. Ther's nivir been wan afore noo."

An the bloke goes:

"Aye well, ah'm tellin ye ther's wan oan the night, an aw the wurkurs ur away hame, an you're the only wan that's goat the keys, so you'll need tae let us in."

Well, Pat's hinkin, ther's sumhin odd aboot aw this, an sumhin funny aboot the bloke that ee couldnae quite pit ees finger oan, but somehow ee felt that ee couldnae turn this geezer away, jist fur wantin tae dae ees joab as a painter an decoratur. So Pat goes:

"Aye awright, c'moan then. It's a twinty minute walk."

An aff they set fae the pub.

They walked intae Renfra a wee bit, then turned aff alang this road, past a couple a factories an intae a widd. It was dead daurk, an wan ae thae nights whin ther's smirrie rain in the err, an the trees ur aw goin drip, drip, drip. The bloke wis walkin alangside Pat, an it wis kinna weird, cause it seemed lik wan minute ee could see um anen the next ee wis dead faint, bit it wis a right daurk night an they were in a widd. Anen Pat starts hinkin: who is this bloke? Whit wis it ee cawed hissel again, Mister Hughes? Whit kinna name is 'at tae caw yersel? Ah mean, if yi wur gonnae tell sumdy yir name, yi'd jist say Boaby ir Cherlie ir Wattie ir Tam ir sumhin, yi widnae say Mister Suchnsuch, speshly if yi wur jist a painter an decoratur. But then Pat thought: ach, it's nane a ma business anywey.

They gote tae the hoose an Pat settled doon in a room wi a cuppa tea an ees paper, an telt the bloke ee could jist git oan wi ees joab. A bit a time passed, anen aw ae a sudden the bloke appeared again. Ee goes:

"Heh Pat, d'ye wanty earn yirsel an extra twinty quid the night? Ah'm awfy short-haundit, an yi could dae a bit a wallpaper scrapin fur us. It's a skoosh fur twinty quid."

Well, Pat couldnae be bothirt, an ee wis jist aboot tae tell the bloke tae beat it, but then aw ae a sudden ee fun ee couldnae turn um doon, ee really wantit tae tell um naw, bit aw ae a sudden ees mooth goes:

"Aye, certainly Mister Hughes."

An ee wis wunnerin whit wis goin oan, cause ee really wantit tae say naw. So they climbed this rickity sterr, up tae the tap storey a the mansion, intae this gloomy wee room, an ther wis a wallpaper-scraper lyin oan the flerr an the bloke goes:

"Right you, get crackin."

An Pat's hinkin: who dis he hink ee is, talkin tae me lik that? But ee fun hissel pickin up the scraper, an the bloke's goin;

"That waw ther. Scrape that wan."

An Pat starts scrapin aw the paper aff, an the bloke's goin:

"Faster! Hurry up! Harder!"

An Pat's hinkin: how d'ye no dae it yersel, ya balloon? Ir gie's a haun at least. Yir jist staunin ther daein nuhin bar tellin me whit tae dae. D'ye hink ah'm yer wee dug ir sumhin? But ee fun ee couldnae stoap daein whit the bloke wis tellin um, ees erm wis scrapin lik mad, an ee wis scrapin that haurd the plaster startit fleein aff the waw, an the bloke, Mister Hughes, ee's goin:

"That's the gemme Pat, batter intae it!"

Next hing Pat's brekkin right through the plaster – couldnae stoap hissel – right intae the widd behin it – whit they caw the laths – an ther's widd crackin an plaster fleein an ther's an awfa cloud a dust, an ee smashes right through it an keeps goin until the whole plaster waw's away, an ee hears:

"That's enough. Stoap, Pat. Stoap."

Anen Pat faws doon knackert, an ee hears the bloke howlin an greetin, an ee's goin:

"Aw, naw! Aw God, naw! Please God, naw! Ah knew it! Ah knew it!"

Pat looked through the cloud a plaster-dust, an couldnae believe whit ee wis seein.

Ther it wis. Ther. Aye, ther. Ahint the waw ee'd jist taen apart, stuffed intae the cavity, A BOADY, a hauf-skeleton, wi a few dauds a skin still hingin aff the bones an a big grinnin skull wi wan eye in an wan eye oot. It must huv been a wummin fur it hud a dress oan. Pat looked ower tae see Mister Hughes, bit as the dust wis settlin ee wis disappearin wae it. Pat tried tae staun up tae run away, but ee boakt anen ee faintit, an 'at is how the wurkies fun um the next day.

Needless tae say the polis dubbed um up tae help wae their enquiries, an they wur gonnae jail um fur committin murder an returnin tae the scene a the crime. But en these toap-noatch detectives got oan the case, an done aw these forensics an aw that, an kerried oot a dead detailed investigation, an corroboratit hings in Pat's favour when it went tae coort.

Aye, so it turnt oot the auld crackpot that hud owned the mansion, an hud took a belly-flapper intae the Clyde, hud left a letter confessin tae aw these terrible crimes. Ee wis a right evil yin, a murderer. An Pat's legal-eagles – that's ees lawyers – well they telt the Beak – that's the Judge – that Pat couldnae've possibly done it, cause ee wis ower wurkin in Ireland at the time when the crime wis committit. They done merr investigations, an fun oot that the victim wis a wummin cawed Mrs Hughes, an that her husband hud gone awey tae America tae work. Ee wis gonnae save up aw ees dosh tae pey fur ur fare across the big Herrin Pond, an they wur gonnae settle in America an live happy ever efter.

But it turnt oot ur husband, Mr Hughes, hud gote kilt in an industrial accident in Philadelphia, the exack same day ees wife gote murdert. A course, the polis wantit tae know how come Pat wis haverin aboot Mr Hughes goin wae um tae the mansion hoose, when the bloke hud actually been deid an birrit in America fur donkey's years, bit Pat kep howlin an greetin an goin oan aboot it in the coort, an neither the polis nor the Judge nor the defence team could explain it, so they decidit tae dub um up in a cuckoo ward fur bein aff ees heid.

Well, that wis it, ee gote worse efter that, an ee kep sayin ther wis a skeleton tryin tae climb oot the front o ees heid, an lo'n'behold, jist aboot that time, yon big flabby lump startit growin oot ees napper, an it got bigger evry time ee havered aboot it, anen they startit giein um Electric Shock Therapy. Efter yon ee wis a zombie.

But O'Hara umsel hud kep an open mind on the haill shenanigans. Ye see, jist afore the coort case, he'd wint up tae see Pat in the jile, tae take um some fags an buiks, an Pat jist kep goin oan aboot it, ee wis convinced it'd been Mister Hughes's ghost. Wan hing Pat mindit dead clear, noo that ee thought aboot it, wis how Mister Hughes nivir seemed tae huv anyhin in ees hauns, either in the Ferry Inn ir in the hoose, neither a pint nur a paintbrush. An when ee thought merr, it seemed funny the wey the bloke hid been walkin through Renfra, kinna glidin as if ee wis oan a wee set a invisible wheels. Pat reckoned thit the ghost wisnae able tae haunle anyhin ir dae anyhin physical, an that's how ee gote um tae scrape the waw awey. But then again, O'Hara wisnae sure whether this wis jist Pat startin tae go aff ees heid ir no.

Well, years an years later they let um oot the cuckoo ward, an ee couldnae wurk nur nuhin, so ee jist went aboot pure dytit in ees scabby auld claes, tryin tae git a coin ir a crust bi goin roon the streets singin auld Irish Music Hall songs, fur it wis the only hing that hud stuck in ees brain fae before the incident, yon terrible night in the mansion hoose bi the Clyde. The only hing thit stuck wae um an ee remembert doon aw thae years wis thae auld songs.

Aye, an ther ah wis unner the table, pure engrossed, listenin tae the story when aw ae a sudden ma Da goes:

"Right Danny! Come oota ther! It's well past your bedtime!"

An ah thought tae masel: how did ee know ah wis unner ther? Mibbi ee knew aw the time, ir mibbi ee heard me duntin ma heid earlier oan. So ah crawled oot an headit fur ma scratcher, anen haufwey doon the loabie, aw ae a sudden ah heard ma Da an Brendan O'Hara burstin oot roarin an laughin, an they wur roarin an laughin fur ages but ah wisnae sure whit fur. Ah felt a right tube anywey, cause they knew ah wis unner the table aw the time, an mibbi they wur jist windin us up. Still, it wis a good story, an it didnae stoap me tellin evrubdy in the street, an afore long it became a kinna wee local legend.

Well, ther wis wan ir two folk in oor street that didnae bother cuttin their hedges, they git pretty overgrown, an oan dark winter nights in gloomy corners, sumdy wid say they'd seen the ghost a the tramp that'd fell doon deid. Ir sumtimes in the back lanes, playin at hide n seek ir sumhin, three folk wid jump oot it ye kiddin oan they wur the ghosts a Pat Flynn an Mr an Mrs Hughes. It's daft noo hinkin aboot it, bit minny's a good fright ah gote, an minny's a good laugh efter it. Ah never ever fun oot if it wis aw true or no, so make ae it whit ye wull, it's up tae yirsel. But that wis jist some a the times we hud, in the street wi fish an the Auld Singin Tramp.

• • • • • • •

It's magic when Maw pents a lassie. I ayewis rin aroon helpin her when she's pentin yin. I dinna when it's some auld grunter breathin oot an in through their false teeth. I canna be bothered then. But I'm never bored if Maw's workin on a young lassie's portrait. Even better if she's aboot ma age.

Maist o the girls Maw pents dinna look at me. They jist sit there on the wee stoolie, neb in the air an their haunds clasped thegither like they're some kind o princess wi servants tae dicht their snotters an fields foo o cuddies tae canter aboot on. An coorse hardly any o them ever talk tae me.

Evie isna like that.

We're still in Glesga an Danny's words are aye floatin aroon ma brain, him wi his **blootered** an his **doo-wal** an his **bammy stories**. I dinna need tae write these words doon noo. I can mind them in ma heid. Evie, though. She talks a different wey fae Danny. She's got the same Glesga accent but hunners o ither words are in there as weel. **Daakoo** is her word for a gangster; a **djinni** is a midden; an **baal** is whit she cries hair.

See, Evie's nana an papa are fae Pakistan an she kens Urdu. She mixes it in when she speaks but, as far's I'm concerned, she can speak any wey she wants she's that bonnie. A wee stotter she is.

"Gonnae pick up that bittie paper there, Gaberlunzie Joe."

As soon as a nice lassie pitches up in yir life, I think Maws are specially programmed tae mak sure ye get a pure minter. Imagine cryin me that in front o Evie. I'm for tellin her "gonnae shut it" but I dinna want tae show masel up. I let it go an gie Evie ma brawest smile, hopin I dinna look too much like a constipatit coo.

THE GLESS HOOSE
Suhayl Saadi

Fed up, so ah wis, wi ma maw an paw an their soor faces. Soor wi each other an soor wi me. Stuck in that wee flat that isna even oors. Belongs tae ma uncle that's no really ma uncle. Whit he really is is a hood, a *daakoo*, that skites aboot in lang black caurs an owns hooses aw ower the city. A shadda, so he is, creepin up the closes ae oor lives. Scunnerin the music.

So ma folks were arguin an greetin aboot money. Gaun on aboot it like they hadna twa pennies tae rub thegither. Nae wunner they've got thae runkles oan their coupons. An when ah come in the room, shtum, wheesht, no a peep aboot the siller or anythin as if ah wis deef or stupit or five year auld insteid o fifteen, sixteen a week efter the Big *Eid*. Ah mean, ye can hear them through the waws. When ah *wis* five, ah thought it wis ghosties, creakin alang the flair-boards. Twa fatties. Twa big fatties. Yuck.

Well, see at the stairt a the summer holidays. It wis a Tuesday. Naw, a Wednesday. Through the week, but. Anywey, ye've gote tae understaun, ah'm no a girl that wanners roon gless hooses. It's no ma scene, like. At least it wisnae tae ah met Shireen.

Ah wis jist danderin roon an it wis sunny an ivrywan wis oot an cheery an turnin ridd the wey the *gorae* dae an ah bought masel a pokey-hat wi rum an raisin an thon's how ah endit up in the Gless Hoose at the Botanic Gairdens.

Noo ah could haiver on aboot ice-cream fur oors. Ah like pokey-hats best, especially whun it's aw reamie an has

64

wee chocolaty bits inside an ah like slaikin it aff whun it's awmost rinnin. Ye've gote tae watch yir jeans, tho. An ah like a wee bit ae privacy. Ma ain space. Err. Pentit gless hooses are gey strange places. Whun ye're in, ye cannae see oot an whun ye're oot, ye cannae see in. So ah heided doon til ah gote tae a squerr hoose wherr thae tropical palms an aw thae plants that eat folk growe an wherr on a bealin hot day it's as quiet as deeth, an ah sat oan a bench an gote tore intae ma rum an raisin ice-cream.

Ah wis hauf the road through whun ah saw wan ae the muckle flet blades ae a palm tree waggin. At first ah thought it wis jist a watter-skoosher or a wee breeze but then ah saw a haun an then a face. A lassie's face. Sae whit, eh? Whit's wan face? But therr wis sumhim aboot this particular lassie that made me look up fae ma pokey-hat an gowp right back intae her eyes. Aye, she wis glowerin at me an her eyes were daurk broon, awmost black, but wi sumhin mair. Ah had the feelin ah'd seen her afore in a dwam. A dream, like. But then she stepped oot fae amang the blades an wis sittin aside me on the bench. Her skin wis velvet broon, the shade that in winter disnae fade tae seik yellae. Her *baal* wis lang, bleck an shiny, no lik ma stupit frizzy mop (ma Maw hates ma hair – guid!). The lassie's voice wis deep an foosome an she moved lik music an she could hae been a twenty-five year auld pop star, no a fufteen year auld naebody lik me. But she wisnae twenty-five, an she wisnae a pop star.

"The strawberry's guid," she said. "Ye can git yon fae the mannie roon the corner."

Ah shrugged ma shooders. "Strawberry's fur weans."

She went aw silent an ah thought mibbe she wis bealin but then she keeked across at me. "Dae you bide in a gless hoose, tae?"

"Whit?"

"Ah can see ye as if ye were real. You must be fae wan ae thae ither gless hooses."

Ah stapped eatin an glowered at her.

"Ah stey across the street. In a tenement flat. It's gote windaes, like, if that's whit ye're on aboot. Double-glazed windaes."

She smiled an her face wis really waarm an freenlie an ah felt ah wis meltin lik the rum-raisin rinnin on tae ma pinkie. She stuffed her hauns intae her jeans pockets. She wis at least a heid taller as me. "Hi. Ah'm Shireen."

Ma mooth wis foo o ice-cream. "Ah'm cawed *Hawwa*," ah said, ma fingirs gaun damp. "But folk caw me Evie." Ah gied her a shote o ma pokey-hat.

"Awright, *Hawwa* or Evie," said she as ah bit aff a haill moothfae.

Shireen had unco claes. Ah couldnae place the style. Flare troosers, wide aw the wey up tae jist aboot her hurdies an a total nightmare o a hame-made jumper. Therr wis naebody else aboot. The only soond wis the craikin ae the auld daurk widd an the chap-chappin ae the blades against the gless waws. Come tae think ae it, even her herr wis gey unusual. Tae mony waves.

"Feenish yir pokey-hat, Evie, an ah'll show ye ma pet crocodile."

"Eh?" Ah jist aboot chocked on a chocy bit.

"Jist windin ye up, kid. Takin the rag oot ye."

Ah felt that stupit wi a muckle beamer burstin ower ma face. Aw thae tropical trees wi their big bum blades seemed tae be guttin theirsels laughin at me. Ah thought aboot shauchlin right oot ae therr, awa fae this unco lass. She had an auld daurk tash on the right shank o her jeans. But sumhim made me stey. Ah had twa guid pals but they had flitted tae different toons a few month afore. An laddies. Well, they werenae queuein up either. Wance oor seevensome o lassies had gote intae *Dreamers* night club because wan ae us had winched the bouncer an mibbe ah gote a wee kissie an mibbe ah didna but nothin serious, like. Nothin ah'm tellin you aboot, onywey.

Wi nae warnin, Shireen liftit hersel, crossed the wee metal fence that separatit the path fae the jungle an walked straight intae the coconut palm. Ah blinked, twice, haurd. Ah thought again ae jist stoorin awa but wherr wid ah hae run tae? Hame? Nae chance ae that. So ah jist cairtit masel efter her even though ma legs were jeelies an the loofs ae ma hauns were sweatin buckets. Ah keeked roon tae check an ah stepped ower the ridd rope an laid ma hauns oan the caber a the tree, closed ma een an took a lang deep braith.

Nothin happened.

Ah looked doon. In by ma fit wis a widden door wi an airn ring the size ae a lassie's slinkit waist. Ah knelt doon an yanked. It craiked open. Oan the ither side, a ledder drapped doon intae the mirk. Ah squeezed through an sclimmed doon but ah left the trap-door ajee above ma heid. Ma shirt rived oan a nail an ah felt a wee tickle an thought ae herry hings wi eight leggies an worse.

"Shireen?" ah cawed oot. Ma voice soondit wee an feart. Ah hauched. Then ma fit skited on sumhin an ah tint ma balance. Ah fawed fur whit seemed lik ages, birlin roon an roon.

Lucky fur me ah've gote a bahookie shaped lik a big bunnle ae straw. Wallop. Doon ah went, ivryhin spinnin at first then calmin doon. Then ah could see ah wis in a roond room wi anither door at the en an wan nakit electric bulb an Shireen's big braw face grinnin at me.

"Whit's so funny?" The dunt ae ma hert wis judderin in ma chist.

Shireen jist shook her heid. "You should see yirsel." An she pointed tae a lang mirror oan the opposite waw.

A tattie-bogle, so ah wis. A richt *djinni*. Ma claes were covered in straw an stoor an ma *baal* wis aw touslie an had lost some o its frizziness, an noo wis awmost wavy an bleck. She gote up.

"This is wherr ah stey."

Therr wis a table an chairs, a cooker, fridge, some tins ae beans, chocy bars, pauchles ae crisps an a thoosan-watt music system wi pure hunners ae LPs.

"Whit's ahint therr?" Ah asked, noddin at the wee widden door which stood in mirk shadda at the far en ae the room. Shireen seched.

"Ah've never been through it."

Therr wis a sadness in her voice an a droopin ae her shooders which made me waant tae greet or tae rin awa or tae staun up an roar. Ah knew then sumhin awfie had happened an that that wis how she wis doon here in the shaddas. An so wis ah. Jist then, a lood thumpin stairted up. At first ah thought it wis comin fae the flair but ah couldnae be shair. The door wis whammin in the wey as though a giant wis dunnerin at it wi a muckle fist. Ah couldnae mind if Shireen had said that she "steys" here like noo or if she said she "steyed" here like in the past an ah began tae shidder. Therr wis a mingin sweet n soor hum lik foostie lemons comin fae somewherr, tae. Ah knew ah shouldnae hae come doon here wi this lassie ah didna ken fae Eve. But ah *wis* Eve an ah didnae really know masel.

Shireen pit on wan ae thae LPs an hauf her face sank intae shadda an it wis an auld wummin's face an ah could see the banes beneath the skin shift an sweel in torment. Ah shiddered fur real this time. She didna come back ower but jist stood therr, shaddas wreathin in an aroon her lang slinkit form, the bluid oan her jeans seemin tae growe an spreid an cover her haill body. The taste ae the ice-cream heaved in ma thrapple an ah boaked, dry an soor. It wis mental.

The music wis dunnerin in ma lugs an ah closed ma een, feelin the bassline swirl in black circles, then feelin ma hert dunt an then ah wisnae shair an ah didnae waant tae open ma een in case ah wis somewherr else. Ah knew the bad-smellin hum wis comin fae ahint that wee door. Ah knew, ye see. Ah knew ivryhin.

For years, fae mirrors or the surfaces ae lochs, Shireen's face has been glowerin back at me. Ah've known her aw ma life. She's been in ma dreams an ma day-dwams, aye watchin me, aye wi her daurk een follaein me aboot.

Right therr in her room, ah fell intae a dwam masel. A deep yin. A daurk yin. An ah saw masel as ah had been, thirty year afore. Ah wis tall an had lang daurk herr an een the colour ae hazel. Aye, an ma fingirs were gey lang, tae. See, ah wis Shireen. It soons daft but it's as simple as thon. Me, wee Evie. Hawwa, ah'm sometimes cawed. An Shireen. Ah wis Shireen. Because we're no jist boarn fae nothin. Afore an efter, we traik through ten thoosan lives, mibbe mair. We jink intae this life an then jouk intae the next. Ah knew this in the dwam an it wis pure dead simple.

Ah woke up skirlin an Shireen, the spirit o ma former life, wis moppin ma broo an ahint her heid sheened a bright white licht an therr were tears poorin doon her face an the sang wis aye playin an noo ah kent it wis a thirty year auld band cawed Vambo an it wis scary an evil but no as scary as gittin buried alive in fifty fit ae watter. Ah could haurdly git the words oot. Ma voice kept lossin itsel in ma braith.

"Are ye . . . are ye deid?"

Shireen shook her heid an her herr wis aw tawtit an clarty as though she'd been lyin in glaur. Thirty year. She took ma haun, her fingirs chirtin intae ma loof. Her touch wis cauld an baney. The tash on her right leg wis the scam ae the watter sprots wherr they had wrapped aroon her an held her doon. Drooned her. The room had vanished noo. Therr wis jist the twa ae us in the daurkness.

"Ivrybody's deid, Evie. Ivrybody."

The music wis still playin an the bass wis thudderin through ma heid an Shireen wis up an dancin an birlin an she wis the line ae the rhythm an she wis rinnin inside ma veins an pumpin in the ridd muscle ae ma hert. An ivrythin wis fawin intae mirk an yet ah could see as clear as though ah wis glowerin through a crystal.

Thirty year afore. Ma Maw an Paw are intae the auld argy-bargy. Up oan the TV, Anarkali is dancin her wey tae freedom again. Ah go a dander through the gless hooses an ontae the faur-awa bank ae the Kelvin Watter, up wherr the path sclims the knowe an the blades drap doon ower the bank. Ah sit doon oan a bink. Ah'm in a dwam, goavin intae the pirls ae watter whun the daurk shadda comes up ahint me.

He grabbles me an tho ah warsle lik a wullcat, he's strang. Ah cannae free masel. Ah can feel his hauns. Coorse, ugsome hauns. On ma airms, ma shooders, ma craigie. His knuckles are aw scuffed an chapped. His braith is oan ma skull an it is the hoat hum ae deeth. He flings me aff the bank an ah'm skirlin an fawin an then a cauld mirk sweeps ower ma body an ma chist is explodin. Ah'm thinkin ae ma Maw an wantin tae greet but ah cannae. *Dard*. Pain fills ma body, ma thoughts, ma past an ma future. The lives ah've lived fae lang, lang syne. Then that faws awa an therr's nothin an it's the hivviness no ae watter but ae mool. River-glaur. An ah'm brekkin up. Slowly the flooer ae ma sowl is pirlin intae ten thoosan petals an each wan is floatin through a door intae a different life. An ivry life sklytes intae mony ithers. An as lang as thae petals stey rived, sindered, apairt, ah will hae nae peace. Sae like the flooers an trees, ah'm stickit in the Gless Hoose. Life an Deeth. Therr's nae joukin it. Wan ae thae lives wis cawed Evie. An noo ah'd come tae tak her back.

But ah never seen his face. Naw. Thon's a lee. Ah did. Ah did see his face whun ah wis lyin oan the bottom ae the river, unbreathin, the skire watters waashin ower ma heid, ma herr pirlin saft music roon ma face, the wey ma Maw loved tae see it, the wey ye see it noo in this studio. *Murdood*. Ma music skites fae wan life tae the nixt lik a knotless threid. An aye, ah dinnae know whit's ahint the door but if ye peer close in at the holes in ma een, ye'll see Shireen's shadda, whirlin an spinnin an singin in the bleck.

Fancy an ice-cream? A pokey-hat?

• • • • • • •

The first week o the Easter Holidays, me an ma Maw get intae a big fecht an faw oot. It's that Mr Broonlee stickin his porridge stirrer in again that's done it.

See, I wrote this story for English. The teacher wantit a true story o someone's life so I wrote aboot wee Evie. She freaked me oot, like. I canna be certain she wisna pullin ma chain but it looked tae me like she wis tellin the truth. She wis shakkin an tremmlin at the end o it an even Maw had turned a bit peely-wally when she wis packin up her pentin gear. So for ma true story, I wrote doon whit Evie had tellt me.

Well, the teacher doesnae like it an Broonlee's on the phone tae Maw for aboot hauf an oor. She asks me aboot it an I loss ma temper.

"It's aw your fault. You mak me come wi ye on these daft trips an I dinna want tae come. I dinna. I dinna."

I can hear masel. I sound like a wee wean but I cannae help it.

"Fine," she says. "Dinna come then. Ye'll go tae yir Uncle Sandy's."

See when she says Fine, I think, Magic. Roon tae Chuckie an Alan's. Back on the randan an see if there's any guid windaes tae pan in roon the back o Kirk-ma-Cross. She's got a lot o work on this week ower in Fife an she gaes hersel, leavin me behind. I dinna care. I dinna need her stupit pentins an cairryin her brushes aboot.

The problem is she's serious aboot me stayin wi Uncle Sandy.

Uncle Sandy is no real. He doesnae let me oot wance. Keeps greetin on at us that he winnae gie me any food if I dinna feenish ma hamework. No that I hae much o an appetite, like. Uncle Sandy cuts his tae-nails in the livin room.

The cuttins ping aff the waws an go straight intae whitever I'm drinkin. He's got auld motorbike engines on the kitchen table so I cannae even git room tae eat ma soup. An twice I've come ben the hoose an nabbed him haein a pee in the sink. Efter aboot three days I cannae tak it any mair an I phone Maw tae say sorry. She comes the next mornin an rescues me fae Uncle Sandy's mingin universe.

We drive tae Dunfermline in Fife where she's aboot a third o the wey through pentin a guy wi a lump on his heid the size o a tennis ba.

"Mr Kerr, ye were tellin me hoo ye got that bang on yir face. Could ye stert again for Joe? Joe likes hearin 'true stories'. Gonnae tell us hoo ye come by that belter o a bruise."

I gie ma mum a look. She's mibbe haein a go at me but I let her aff because she gies me a bonnie smile back. An she kens I cannae argue this time because there's nae chance I want tae go an live in Uncle Sandy's pighoose again. Insteid I listen tae Mr Kerr's story, a wee bittie surprised Maw's no naggin me for forgettin tae bring any o the textbooks Mr Broonlee's gien me as punishment for gittin ma English essay wrang.

PARLIAMENT O BEASTS

William Hershaw

Ae still and silent nicht, ma guid neebour, Noel Wallochie, slippit out his back door, gey canny like, and padded doun tae his wee wuidden shed tae fetch out his fishin bag and his rod and reel. He was dressed up dark as the deil. He made no a soun in the howe dumb deid o that summer's nicht as he threedit his wey through the council houses o Ballingry, a shadow amang the hedges and fences o the streets that are named efter heroes in Walter Scott's novels. Up the fuit o Benarty Hill he gaed, keekin ower his shouder whiles, tho nae waukrife cratur spiered him but the auld muin, a twa pund coin hingin siller and gowd abuin him. A silence happit roun him that souched back at his fuitfaws and if ye lent a lug that nicht ye could hear a saft thrummlin faur, faur awa that girdit the haill o creation. Doun on Earth naethin steered at aw and naebody was out at that late hour, the last drunk haein stechered hame lang afore Noel set out.

I'll no tell ye whit Noel luikit like, whit age he was or whit orra claes he had on. Ye'll ken whit he was up tae tho – he was mindit tae poach a braw Loch Leven trout (or mibbe twa or three or fower). Noel hissel widnae say he was daein richt, for poachin is stealin efter aw but I'll say a puckle o words in his defence. He had been out o work for a lang while and he was gey hard up. He thocht he micht sell ane or twa and if he didnae, there was aye guid eatin in ane. Maist o aw tho, he poached out o sheer divilment because he was fed up and because it was braw tae be out

74

on the loose on sic a nicht when the lave o the world was liggin in bed snorin.

Noel's gait tuik him up and ower Benarty Hill, for he wad luik awfie suspicious shauchlin roun the main road at the Shank at thon time if a polis car had passed him and seen him wi aw his poacher's graith. His route tuik him alang the auld Hill Road, syne up and up, step bi step, up the steep Hill path till he cam tae the wyndin track at the brou o the hill. Syne it was through the pine wuids that led him near tae the flat croun o Benarty. As he lowpit ower the stane sheep-dyke, a hoolet hooted in the hert o the wuids and a dizzen hares' heids keeked up ower the heather syne dovered doun quick like. The path nou led ower the tap o the hill and out o the Kingdom o Fife and doun taewards Loch Leven and Kinross-shire.

And as he gaed, the nicht was sae clear that he could see for miles aroun him, fae the gowden winkin causey lichts in the sleepy fermtouns o Kinnesswood and Scotland's Well on his richt, tae the gleesh o the Exxon petrochemical bonfire chimney ahint him ayont Lumphinnans. Nou the muin seemed sae nearhand he micht even lowp up an touch its luminous face. Fou o gleg spirits, he jamp and raxed up tae it. Aw o a sudden, in the middle o the air, he mindit the tale o the Auld Man o Benarty, and as he landed wi a thud he thocht o hou his heavy buits had juist daudit intae the Auld Man's staney back bane. For the legend tellt that Benarty Hill was a sleepy heidit auld giant wha had lain doun tae rest his deid-done pow a million years afore and fawn asleep. Whit if Noel Wallochie had juist waukened him up?

Whit wad it be like gin the Auld Man cam tae life? Hou wad it aw stert? Whit kin o temper wad he be in efter aw they millennia o lang giant's dreams? Noel pictured the haill unco sicht in his heid. The birds wad aw wheesht. A thrummlin wad go through the leafs on the trees. Pine cones wad cam fawin tae the groun. Anither thrummle, a shidder, a wave through the Earth. A yawn, a slip, a shoogle. Earthslides like watterfaws an a muckle roar, as loud as ye can imagine, that wad growe even louder till ye were deef fae hearin it. Noel in his mind had a glisk o tons o muck lowpin in the air as the stour and the stanes and the gress and the deep ruitit trees that had ligged roun the giant's shouders, a thick blanket o emerant and broun, exploded and buckled as the forest fell like dominoes, as the hill tummelt doun like a tent and the staney limbs o the giant stuid up. Whit an onding and racket and dirdum there wad be as the Auld Man heezed hissel up on his hunkers an aw the wee folk o Ballingry ran atween his taes and cawed out for help and bawled blue murder. Up he wad gae, his fuitsteps fawin like thunner, and he'd walk out tae the Forth tae hae hissel a bath and as he passed ower, boulders wad drap doun aff his hurdies and shatter houses and buses. There wad be a heap o stoury rubble and midden whaur the hill aince stuid and folk fae Lochgelly wad be able tae see clear ower tae the folk in Milnathort.

But the muin went on shinin and the giant never steered. Noel pit the unco notion aside for nou. He sclimmed doun the ither side and the watters o the loch glaimed like fishes' scales aheid o him. Suin he fund his favourite neuk and sat doun and made hissel a cup o hot sugary tea, bein carefu no tae skail ony. I'll no tell ye whit airt o the loch it was, for he made me promise no tae tell (tho mibbe it was near the mouth o a burn) and I'll no tell ye either exactly hou he fished (tho he didnae yase a net nor cruivet nor a gullet nor auld-faushioned eel ark). He cast faur out intil the sounless muinlit mirk and naethin moutit but a souch, a ping and a splish. Syne he tuik out a cheese piece and waited. Mibbe he felt sib wi the universe. Mibbe he felt blessit. Mibbe he thocht his luck was in because aa o a sudden there was a slap and a splash in the dark watter about twinty yairds aheid o him and his line went ticht. It maist hae been about an echt tae nine punder.

"I've got ane!" he cawed out. He could very near taste it slippin doun his thrapple. A Lochleven trout, done wi butter. Richt braw an tasty. But as he got the words out, a deep voice grooled ahint him.

"Naw, pal. I've got you." It was Bob Wemyss, the Watter Baillie, and he had been out on the prowl wi his alsatian, Bowfer, when he had spiered Noel's outline at the watter's rim. He was heidit back tae his howff efter a quate nicht but nou he had a poacher in his clutches.

Noel didnae hing about. This was nae time tae hae a blether. He shoved Wemyss and cawed him ower on his back and scartit up the bank, leavin aw his gear tint ahint him. Bowfer was snarlin and snappin and barkin like a beast taen ower an tortured bi the deil. He went for Noel's dowper and ettled tae bite a chunk out o it. Noel's hair was frozen tae his heid wi fear and he was shair it had turned snaw white wi the fricht he had gotten. Bowfer opened his slavery gantin maw and Noel lashed out wi his fuit but slippit on the damp gress as he tyauved and twistit. Pouin hissel up, he goved at the Watter Baillie, liggin on the grund yet. He was raxin intil the pouch o his Barbour jaiket. Was he fetchin his gun out? Bowfer didnae ken whither tae gae for the poacher or back tae his maister. Noel tuik aff as fast and as freckly as his heels could cairry him. Aw aroun him there were cracklins and fizzins and bursts o static and Noel zigzagged in atween them. But it wasnae bullets. Bob Wemyss had been luikin for his short wave radio, no his gun. There were ither baillies on the loch that nicht and a

boat o them was comin in tae land. There were dugs barkin
and howlin aw alang the banks. Noel ran as fast and as faur
as he could through the dark, no kennin or carin that at any
minute he micht snap his neck bane like a stick o rock or
brek his ankle doun a rabbit hole or step in a drainage
stank, drap intae sax feet o stagnant broun watter an droun
like a peerie leveret. But as hard as he ran, the hellish clan-
jamfry o broostlin, bloosterin bowfers seemed aye tae be
nearer.

And nou he had blundered intae the Bird Reserve at
Vane Ferm. He splashed and stechered intae ponds and
pools, ditches and dubs, reeds and mosses, heidfirst and
heelstergowdie, lug ower elbuck, like a tattiebogle in a tor-
nado. Nou thae dugs were the hounds o Satan hissel, lettin
bluid-curlin yowls loose as if tae caw doun the muin. He
had no a thocht in his heid except "keep gaun" when he
ran intae the middle o twal thousan doverin Brent, Grey,
Barnacle, Pinkfuit, Canadian and Greylag geese. Never
afore had such a racket and hubbleshew been heard aroun
the shores o Loch Leven. In a blinn panic the sleepy-heidit
geese tuik tae the air in a huggery-muggery whirlmagig o
fleein feathers, bird muck and honkin beaks wi our Noel in
the centre o it aw. Roun him they gaed widdershins. Ye wad
hae been feart for his life but as fortune wad hae it, the heid
goose changed direction and made aff intae the faces o the
herd o chasin watter baillies and their yelpin dugs. In a
minute the pack o them were girdit in a storm o white and
grey. Chaos was haudin swey as the hounds went for the
geese, some o them lowpin sax, seeven fuit aff the grund
tae rip out their lang thrapples. Some o the daft dugs
taigled theirsels in knots wi their leads while their human
maisters cawed them back and cursed at them with black
sweiry words.

Noel luikit back at the sicht, wide-gabbit, and tuik a deep breith. A second's respite, then he turned, makkin swiftly for the cover o the trees on the side o the hill at Vane Ferm. He ran an ran, pechtin and blawin fit tae burst, his face a cramson balloon. Ablo branches he gaed, his ane thocht tae climb the hill and win back tae the Kingdom o Fife. The chase doun ablo had stertit up aince mair and nou the hounds were delvin intae the first trees. Sae he kept gaun and mibbe the souns o the chase were less, and mibbe a baillie or twa had gotten wearied and turned for hame. The adrenalin was aye fleein through his veins and his hert thumpin and pumpin inside him. He wasnae safe yet. He chairged on. Feart he micht get caught, he jouked atween the trees. His limbs were as lourd as deid wuid but he ran and ran and didnae see the laich hingin branch in his road till it was twa inches fae his neb. There was the awfiest, sairest crack as bane hit wuid and that was the last thing that Noel kent . . .

. . . till he woke up on the weet flair o the wuids wi the trees birlin roun and a hammer in his heid gaein dunt, dunt, dunt.

Noel gingerly felt his pow and fund a lump the size o a gowf baa thrabbin atween his een. He had cawed hissel out and he couldnae tell if it had been for minutes or hours. It was dark yet and the muin was still up there. It seemed tae be lauchin doun at him. He listened wi his lugs strainin but there were nae dugs barkin. Nae cries o "catch the poacher and gralloch him!". Nae patrol boats churnin up the watter on the loch. Wi a souch o relief, he jaloused they had aw gaun hame. He was free o them. Then wi a stab o regret he mindit aw his fishin stuff, liggin on the bank. They wad hae taen aw thon awa wi them. He stechered up on his feet, takkin tent o the laich hingin branch. It was then that he heard the eldrich soun, comin fae ahint the big blae stane.

Nou, maist times Noel wad juist hae poued hissel up and heidit in the ither airt. Mibbe he was no his richt sel wi the wallop he had taen. He crept nearer. Whit kinnae soun was it? He had never heard anythin like it afore. Whit could it be? It was an unco eerie wanchancy soun – a soun that said "ye dinnae want tae ken whit I am, sae gae awa". But the mair Noel heard it, the mair he had tae hae a wee gleek and fund out whit it was. He listened. It was human voices speikin. Naw, thon wasnae human. Acht, it was juist the sing-sang leid o a tummelin burn as it sang tae itsel in the nicht. But naw, shairly he could mak out a word here and there? Blethers! It was juist the twitterin o waukrife birds in a nest that somehou soundit human. He cam nearer tae the blae stane. It was voices richt enough – but no, it couldnae be. It had a roch soun tae it like the laich growl o a dug when its heckles heeze. Yet, melled in wi it was a heich, lichter soun like a laverock or mibbe even whit a tottie wee elf micht speik like. Had he cam across bogles? Mibbe it was the gentle snorin o the Auld Man? Or was it the ringin in his heid fae when he had stottit his brou aff the branch? He had tae see. It was comin fae juist ower the ither side o the big blae stane ayont him. Without bendin a blade o gress, brekkin a twig or makkin a cheep, he tiptaed ower and had a peep – an spiered the maist unco sicht he had ever clappit his een on in his haill life.

In the lee o the stane, a tod, a grouse and a corbie were sittin. The Tod was speikin tae the tither twa in a laich voice and they were listenin tae aw he said and were answerin him back nou and again. Whit a turn it gied puir Noel. He couldnae believe his een. Yet he had tae fund out mair sae he crawled even closer tae hear whit it was aw aboot.

In the clear muinlicht the Tod was haudin furth while

the Corbie and the Grouse were noddin their pows as if in agreement (tho Noel tuik tent that they baith kept a guid distance fae his white teeth and furlin reid ribbon o a tongue as if they were feart fae him). Noel kept his heid doun and listened. At first it seemed tae be the Tod that was daein aw the talkin.

"Freends an neebors," he said, "as weel ye baith ken, a week the day the langest day o the year will faw. An it will be an historic day. For the first time since our great leader and provost, the last Grey Wolf, was taen fae us bi the cruel hand o Man, the wild craiturs o Scotland, fae the wuids, muirs, moontains and lochs, will foregaither tae convene a parliament at John Knox's pulpit, yon rock ablo West Lomond Hill. This has been agreed but only efter mony thrawn arguments, bickerins and betrayals.

"Ower the wheel o the thoosand seasons that has birled since Grey Wolf's deith, we, the wild animals, hae been rudderless, a ship without a skeilly skipper tae guide and steer us. The Muckle Broun Bear wha delved and mined in the earth is nae langer wi us. Neither is the furnace breith o the Boar or the Beaver that fished and biggit amang the saumon. Nou they are history and legend. Iolaire and Capercaillie are divided fae us bi language. The land itsel is changed wi the hand o Man an this is seen mair and mair through the wilds and the weetlands. Nae langer the caller canopy o green leaves hings abuin our hungry heids. It is richt, as the foremaist o the ingaun craiturs, that it faws amang us three here tae mak siccar wha the captain should be. An it is richt that we should meet afore the lave tae agree our ploys, affairs and policies aheid o this gaitheran. Our chief concern should aiblins be tae decide this: wha amang us should be the first and hae tae thole the wechty responsibility o the leader's office?"

At this the Tod luikit sideweys out his een at the Grouse and the Corbie on either side o him. "I hae nae doubts masel," he continued, "that I am best qualified tae tak on the office o the Wolf bi dint o ma kinship wi him, ma popularity amang the ither beasts and because I am swack and slee and skeilly o harns."

Hearin this, the Grouse threipit furth in a chokit voice. He was happit in tweedy feathers and when he spoke his heich scraich o a voice was ugsome on the lugs. His sma een squintit and his cheeks blew in and out. He didnae luik aw there, an inbred thing he was but a threid o reason and sel interest ran through aw he said. Mibbe he luikit haufchackit but he wasnae hauf as daft as he soundit. He knew on whit side o the piece his breid was buttered. "Ye ken fine ma thochts," he said, "on this Ha o Blethers ye caw a parliament. But I will speik out truthfully anent this maitter. Nae animal in Scotland, tame or wild, has need o it. We are best rid o the haill clanjamfray and jingbang. Man is our richtfu maister in the naitural order and our profit and guidweel lig in our union wi him. It is guid o him tae tak us in unner his bieldin airm and he willnae thole it when he funds out about this scheme.

"Tak me," the Grouse cairried on. "I am fed and fattened wi breid. I am gien the heather and muir for masel and ma faimlie. I am luikit efter bi Man. Whit mair could I speir for? Whit pouer haes a parliament tae tak on Man's richt tae dae as he pleases?

"Haein said aw this, I am ayeways ready tae dae business. Gin it is the sovereign will o aw the hauflin spyugs, rabbits and mice tae hae their bit parliament, it is ma duty and responsibility, wi ma kennin o tradition, protocol and heredity, ma special knowledge o the weys o Man, tae be the leader o this hoose and tae ettle tae wrocht it in the image o Man sae that I can represent his croun amang the lesser beasts."

Wi this the Tod lauched his sides sair.

"You? Never! There's mibbe a puckle o cous and sheep dytit enough tae follow you but amang the rest o us there is aye some sma measure o the wild left. We aw ken the price ye have tae pey for a fat wyme and tae be fed bi the hand o Man. An haein yer throat snickit and sned wi a butcher's knife isna worth it. Amang the beasts ye are ridiculed as a wud gowk and a glaikit gomeril. It is I wha must be first. Luik at ma brave reid coat. Mony o these hae hung as bluidy sarks on Man's fences. Ma coat is a symbol and a flag for aa our comrade beasts. I fecht for aa them that hae been killed, maimed, devoured or wounded bi the Twa Legs. I am respectit bi the beasts for courage and smeddum, hert and harns, aa bent taewards survival."

And nou it was the Corbie, wi his black een, wha spoke up in his crouse, craikin voice.

"The Tod is richt," he said. "And I will gie him ma fou support on condition that ane or twa sma requests are met. Altho I am faur mair able and fit for this office than ilk o ye twa, I dinnae hae yer chiels and freends thrang amang the ither beasts. Mither Nature has pentit me black. There are mony spitefou lees tellt o me – that I sit ower muckle on the dyke, that I flap mair nor I flee, that I theek ma ain nest at the expense o ithers. They caa me Carrion Craw an jib that I eat ma denner sweet without haein tae kill for the meat. Some even say that I am like the Grouse in anither sark, nae mair nor anither friend o Man. This isnae true. I am the voice o moderation and reason. I am a parliamentarian wi ma kizzen the Rook. I will jine in coalition wi the Tod – but I maun be his second and his depute. I will share the pouer wi him."

The Tod noddit in assent.

"But I weary o ma dreich an drumly feathers, for ma een are fou wi picturs o bricht baubles. Tod, for the heeze I lend ye, ye maun gie me a coat o colourfou feathers tae wear and a siller chain o office that speiks o ma rank. Acht, and by the wey, I widnae mind a daud o cheese tae fill ma empty wyme."

"Sae be it then," the Tod agreed.

Noel Wallochie's een were wide at this byordinar sicht. He gasped and gaipit and wondered. "Jings," said he, ablo his breith, syne he thocht he had been fund out when the white hair on the nape o the Tod stuid up and it growled, "But whit jookery-packery's this I smell?"

Noel was in for anither fricht. Nae mair nor a fuit awa fae his neb, fae a neuk in the big blae stane, cam a hirselin, a hissin and a slidderin. Syne a bonnie adder slithered out afore his fleggit een. Its forkit tongue flickered in the muinlicht. It was mibbe echteen inches lang at its fou lenth an it was black as ile and on its back, criss crossed, were gowden saltires.

"Wha invitit you, ugsome serpent?" snapped the Tod. "Ye hae nae richt tae be here." And Noel could see that aw three craiturs had drawn back out the road o the snake.

"Oh but I dae," whispered the Adder. "For I am a rare an precious jewel, and I am mair ancient than the Wolf. I am the true spirit o freedom and wildness. Ma ane wish is tae bide on ma ain, amang ma ain kin, in the last wuids whaur nae human maun set his fuit on ma skeery back-bane. I see ye are feart o me and richtly sae for there is a wersh poison in me wrocht fae the wecht o hatred heaped on me bi aw the craiturs syne the days o Adam. Be wary o ma bite but ken I will yase it only tae staund up for me and ma bairns an aw that I haud dear. It is ma richt tae be first but that is ayont me as yet. Even so, ye cannae haud yer collogue without me. For this reason I hae followed efter ye through syver and ditch on ma belly.

"Nou," he continued. "I will tell yis the truth. Tod, yer coat was aiblins cramson but nou it is juist broun and hodden grey. Aince ye bade in the wide wuids o Caledon but nou ye rake through dustbins for the haund-me-douns o Man. Ye feed fae his middens but yer sibling craiturs hae guid reason tae fear ye, for ye are no abuin feedin aff their flesh. They should tak tent o yer aye-stervan mou. Mibbe ye are swack and able, aye, but ye are swick and sleekit in yer rhetoric as the corbie should ken. Ye arenae fit tae be our provost.

"Feckless Corbie, neither are ye. Ye are a parasite wha aye must luik tae see whit wey the wind is blawin. Ye face ane wey and neist saicont anither. Ye feed on the carrion juist like the tod, juist like us aa. Heich office and geegaws mean aa tae ye. Nae change for guid maun cam fae ye, for aw yer blethers.

"An greedy glaikit Grouse, maist stupid and maist tae be pitied. Ye care for naethin but yersel. For ye there is nae remeid and ye will aye end up on the denner table o the maister ye serve.

"I dinnae hae the fleet legs o the Tod or the Corbie's feathers. I traivel slauchly, a slottery thing on ma belly. I am distrustit and despised by ithers. Yet I can spier whit is best for us aw. I hae a vision o whit micht be if ye three wad help me. I cannae be the leader on ma ain and so we fower and ithers must jine our spirits if we are tae improve the condition o the beasts that the parliament will haud swey ower."

At this, in fury, the Tod lowpit on the Adder's back and the Grouse fell on him as weel and ettled tae pick out the saltires wi his beak. The Corbie flew up in the air wi a course screich, had a luik ablo, syne swuppit doun tae feast on the Adder. As it did this, the Tod gied it a sideweys luik and snapped at it. It missed and cam awa wi a mouthfou o black feathers while the Corbie flew up tae a branch and startit greetin. Then the Adder sank its fangs in the Tod's forepaw. The Tod jamp up in the air and landed on the Grouse and cawed it out for the count. The Adder crawled aff through the weet gress tae wash its bluidit back in the burn. The Corbie flapped awa hame tae its nest still girnan tae naebidy. The Tod hirpled awa wi the Grouse in its maw but the daft bird cam back tae life, gied itsel a shak an flew awa, hoppin an cawin out "the Tod's a sleekit chancer!" aw through the wuids. The Tod was ower lame tae catch it. For a saicont time it was left spittin out a mouthfou o feathers and it blamed the Adder for it aw.

Syne the first beam fae the dawin sun split the Vane Ferm wuids and Noel stuid up. He couldnae believe whit he had witnessed. He blinked his een. It had been a lang strange nicht and he was juist gled that he wad suin be ower the hill and in his bed wi a bandage roun his thrabbin heid. He vowed tae hissel that he wad never gae out poachin again – he was ower and duin wi it for guid and he had learned a sair lesson fae the dominie, Experience. But a fortnicht later he was back and this time he cam hame wi twa trout insteid o a lump. He had ither scrapes and ploys and adventures but he never saw the tod, the grouse, the corbie or the adder again.

And hou dae I ken? Weel, Noel tellt me the haill story ae nicht when I was sittin in the Ship Tavern wi him in Lochgelly, haein a bottle o Fowler's Wee Heavy. He was sellin braw trout out o his new poacher's bag. He askit me whit I thocht the speikin animals was aw about but I didnae ken. I couldnae richt tell him.

Can yous?

● ● ● ● ● ● ●

See if I wisnae gaun roon Scotland wi ma Maw, I'd be hingin aboot the corner at Kirk-ma-Cross wi Alan an Chuckie. Sometimes we'd fling stanes at the windaes o the warehoose across the street. Occasionally Alan wid hae fags an we'd try tae smoke them withoot boakin up. Maist o the time though we'd jist staun aroon in the cauld. An the corner at Kirk-ma-Cross is an awfie cauld place, even in the summer.

Listenin tae ghosters is mair fun, like. An see Scotland? It's no real. Wherever I go, I hear folk speakin an they aw talk that wee bit differently fae each ither. An ye dinna hae tae go far tae hear different voices, tae. Of course they dinna speak the same in Shetland as they dae in Glesga. I mean they're pure miles apart. But even jist doon the road fae yin toun tae the next the folk will speak a different wey.

The poacher's pal wi his beasties aw haverin tae each ither. He wis fae West Fife where there used tae be loads o minin. The touns there have got that many auld mines unnerneath them it's a miracle the hooses dinna jist disappear intae the grund. His voice though wisnae the same as the next Heid Maw wantit tae pent jist a twenty-minute drive alang the road in the East Neuk o Fife.

Turns oot Sue Lowson's a journalist an Maw aye says journalists tell the biggest ghosters o the lot. Sue has lang ridd hair doon her back an bricht piercin een. I must be fashin her wi tae many questions because Maw tells me tae cool it an I can see she isna kiddin.

"Miss Lowson, jist while I'm pentin, maist folk tell Joe some story or ither. I'm sure you'll be able tae spin us some guid ghosters, eh?"

When Sue starts tae speak, I cannae believe we're still in Fife. Her words arenae like Mr Kerr's. On tap o that, even though she's a journalist, I hae a feelin she's gonnae tell us somethin true, jist tae prove Maw wrang. Can ye get true ghosters?

SKELP THE DUG
Gail Stepo

Ah'd bin up aw nicht an ma taith wis stoondin.

"Whaur's yer lead story fur this week? Ye've gote two oors tae get it oan ma desk or yer bahookie's gettin a belt. An a bonnie wee bahookie it is tae, by ra way. Haw, haw."

Oh aye, haw, bloomin haw. Kenneth McCallum wis no what ah needit that moarnin. Ma haid wis awridy nippin fae the dirrin o the phones an the chappin at the keyboards on the ither side o the office. The last thing ah wantit wis Clydebank Ken slabberin ower me. There's jist nae plaisin him, the great Glesgae galumph that he is. Syne ah sterted workin fur this pipper, he's been gawn at me like a cutty skartin at fish guts doon the herbour.

He steys doon the wynd wi the ither bigsie strangers that come here tae bide. They say it's that quiet an "quaint" an it is – till they turn up wi their roarin. They aw think they're nae sma drink bit they're as common as jucks gawn berrfit. Cah even spaik richt. We deh usually gie them mony cuttins.

Ken's aye kiddin on he's fae the East Neuk bit he disnae kin his Enster fae his elby. Cah staund me cause ah'm no an incomer. Whan the auld anes speir at me "Wha's acht you?" ah can say ah'm Ella Tamson's lassie. Kin? Eesie Strauchan's grand-dochter. Ma fether's *The Guid Star*. (Ma fether's been aff the sea a guid number o years bit awbdy still kins him fae the boat.)

If ye speired at Clydebank Ken, wha's acht him? he wid jist gloor an walk awo. Widnae kin what ye wir on aboot.

Bit ma taith, though. It wis that sair ah kid hae gret. Ah

felt like ma mooth wis fu o rid het pokers. Ah wis gaw hae tae git tae the dentist.

"Have you furgoatin hoo tae yase the kettle, doll?" Ken chipped in.

Aw, hud yer weesht. At laist when ah mak the tea it disnae taste like cat's waash.

"Look, Ken, ah'm sorry bit ah cah thole it ony longer. Ah'm gaw *haetae* git tae the dentist."

"Oh aye, that's whut happens when ye get a wummin tae dae a man's joab. Cannae hack it. Go oan then but ye'd better be back afore twelve. An ah want yer lead story by three. Got it, doll?"

Ah gied him a richt look. He'd got me that bailin. He wis aye on at us, aye girnin that ah wisnae fast enough, guid enough, smert enough. A richt seekrif man, sittin there wi his stamach hingin ower his breeks an his big bawsie face gawpin at me. The great grumphie. Ah kid hae daddit his cocky face wi the back o ma haund. Bit as usual ah jist huddit ma tongue, gethert up ma gibbles an gaed.

There's twa dentists in the toon an ah wis switherin which ane tae gan tae. Ane o them's got brith on him that wid gar ye grue. Ah felt seek enough fae the chawin pain grummlin roond ma haid an ah didnae need some mannie's mingin guts waftin oot his gub at me. Ah plumped for the second ane, a canny laud cried Davie Booman, an sclaffit tae his surgery at the toon haids.

As ah trailed alang ah fund masel winderin aboot Chairlie Reekie, Davie Booman's pairtner. The thocht kept flittin in an oot ma haid that Reekie had dain summin an then retired bit ah kidnae fer the life o me mind what the haill story had been. Ah'd been awo fur ower lang an ah wis aye gettin aw the blethers mixter-maxtered in ma haid. Kid niver mind wha'd dain what. Hauf the time a kidnae even mind wha wis daid an wha wis still leevin. Ah jist kint there wis some wey o daein wi Chairlie Reekie.

Gettin tae the door o the surgery ah stapped fur a minute tae try an git ma brith. Ma hert wis gawn ten tae the dizzen an ah hid the cauld grues. Ah jist aboot taen the rue bit ma taith gied anither loup an ah wis decided.

Ah've aye haen a phobia o dentists. Ah deh kin why. Ah've niver haen tae hae onyhin din, apairt fae ane fillin. Bit ther's jist a summin aboot haen somebdy else's foostie fingers in yer gub that maks ye feel sae pooerless. Cooried in that muckle chair wi some strange man lainin ower the tap o ye wi a mask ower his face. It's like summin oot o an eerie auld black an white film.

Ah taen anither moothfae o air bit the clerty inlaund breeze didnae revive me the wey a brith o St Minnins' sauty wund wid. Mind you, whan the tide's oot doon there it smells like a hunner grumphies his jist let aff.

Jist at that minute the sun glensed aff o the gleemin bress plate on the waw. "David Bowman, BDS, Edin., Dental Practitioner." Nae sign o Reekie's name sae he must hae retired efter aw then.

Inside the front office there wisnae anaither sowel. Shairly awbdy's mooths wis laivin them the day tae sweel their soup an chaw their pandraps in pais. Ah'm the only ane, ah thocht, wi a taith plottin like parritch.

Efter a minute the nurse keekit oot fae ahent the door an gawkit at me like she'd niver seen onybdy in a dentist's waitin room huddin their gub in pain afore. Did ah look that bad? Ah kint ah felt like daith het up bit ah didnae think it wis that dreidfou.

"Can I help you?"

She lookit like ah wis aboot tae slit her throat, the daft wee besom. Fair frachtit, she wis.

"Ah phoned airlier an made an appintment wi Mr Booman. Lowson's the name. L-O-W-S-O-N. Look under LAWSON. It's probably there." Naibdy iver spelt it richt.

She jist stood there as if she wis switherin oan summin.

"Er, Mr Bowman's a bit . . . er . . . tied up at the moment. Would you like to come back *later?!?*"

She gleyed her een at me, glensin back an forrit atween me an the door.

"Aye, aye," ah thocht. "This ane's no quite the full shullin."

A door opened ahent the lassie an a wee wizzent laud cam hirplin oot. He wis aw hippit as if he'd no been oot much lately, an he wis walkin hen-taed. His een were as black as ais an gloored oot fae in alow his toozie grey hair. He wis a richt screever wi a lang pintit nose, which ah kidnae help fae noticin hid a dreep at the end o'd. The man wis cled in a lang white coat that hidnae been white in years. It wis a weel-worn, bauch-lookin bit o cloot an in sair need o a tummle roon the inside o a waashin machine.

Jist tae mak me feel warse, he had a crabbit gloor tae his gub.

Ah wisnae richt shair ah'd din the richt thing. Wachie Brith at the surgery on the ither side o toon micht o been a better choice.

"It's awricht, missie," he said tae the nurse. "Ah'll see the lassie the noo."

"But Mr Reekie, I don't really think you should do . . . "

"Wheesht. Keep yer brith tae cuil yer parritch." Turnin tae me, he said in a safter voice, "Come awo ben, ma lass. Ma pairtner's no able the noo. Ah'm fillin in fer him, if ye'll alloo me a wee dentist's joke. Ah'll shain tak a look at yer taithache."

Reekie's name wisnae on the door an ah wis shair he hid

retired bit ma taith wis that loupin, ah'd a let the deil hissel tak it oot, so in ah gaed.

Mr Reekie shut the door. "So," he speired, comin ahent me an takkin ma jecket, "Wha's acht you?"

"Ah'm *The Guid Star's* lassie. Ma grandmither wis Eesie Strauchan."

"Eh, ah kint yer grannie weel. They steyed across the road fae us at the tap o the Coal Wynd. Ah wis richt sorry tae hear aboot her, the puir sowel." He taen ma elby in his niv an steered me ower tae the fairsome chair.

"Ach, it wis mebby fer the best," ah replied. "She wisnae richt at the end an she aye said that, if she iver got tae that stage, jist tae gie her a wee blue peel."

"Aye," said the dentist, a girn craipin intae his tone. "There's a wheen o fowk gaun aboot that wid be better aff efter a wee blue peel."

The lach stuck in ma thrapple as he howkit intae ma een wi the awfiest-like gloor. He seemed richt easy peekit an ah thocht ah'd better caw canny wi the blethers. Ah didna want tae offend the man that micht be pouin oot ane o ma wallies.

"Oh aye, kin what ye mean," ah said nervous-like. "There's tworrie ah'd gie a peel tae masel."

"There's twa-three folk oot there richt enough," he replied, startin up a fecht wi some drawers ahent me. A wee purpie threed-like vein wis staunin up on his pow. It thrabbit oot an in. "Cah haud their tongues some fowk. Fair postit, they are. Aye stickin their nebs intae ither fowk's business. Miscawin them fer nae guid reason."

He'd lost me. Ah thocht we'd been spaikin aboot euthanasia. Ah wis startin tae think the auld man micht be a bit doolally. An what did he mean about stickin their nebs in? Wis he tryin tae hae a dig at me? What hid ah din tae roose him?

Bit he wisnae really spaikin tae me. He seemed mair tae be in a bit o a dwam, a wee warld o his ain.

"Clypin oan fowk tae the taxman. The Coonty gets enough siller oot o ye athoot ye haein tae gie mair tae the Inland Revenue. It's no bein grippit. It's bein wyce. Jist keepin yer ain fish guts fer yer ain sea maws, that's aw. The taxman's no needin ma money. It's no richt."

Skelp the Dug!

Suddenly it cam tae me. Skelp the Dug. That's what they'd caad Charlie Reekie. Ah hidnae made the connection afore. He'd gotten the by-name because he wis aye peengin at bairns an animals, especially dugs. He used tae like tae kick dugs. An steengy, sae he wis. Ticht wi his siller. Folk said he'd a skinned a loose fer its tally. We yaised tae shout it at him whan we were wee. Skelp the Dug! Skelp the Dug!

Auld Skelp the Dug. Of coorse. Ah mindit noo. He didnae jist retire. He wis declared bankrup efter the taxman caught up wi him. Ah wis shair there hid been a rowp tae. Davie Booman jist aboot lost the haill practice. Wee Davie Booman hid been gettin ripped aff by the rogue left, richt an centre. It wis aw ower the pippers. Did Skelp the Dug no end up in the mad hoose though . . . ?

Afore ah kint whaur ah wis ah felt his thoombs howked intae ma oxters as he whuppit me up intae the air an clappit us doon on the chair. Ah gied ma haid sic a loonder as ah laundit ah thocht ah'd crackit it open. Lyin on the chair wi ma haid stoondin ah said, "Here, caw canny, will ye?"

Ah kint he'd aye haen a name fer hissel fer bein coorse but this wis a bit muckle. Ma brain wis aw ower the place. Ah kid feel ma een birlin in ma haid as ah looked at him, gleyed-eed.

He wis guddlin aboot in the stainless stale instruments

when the pain in ma taith kicked in again tae chum the pain in ma haid.

What oan airth wis gawn oan? The man wisnae wyce, clartin aboot in the drawers, bletherin an grumblin awo tae hissel in a queer-like wee voice.

"Skelp the Dug's bankrup, did ye no kin? Ah've niver seen the like. Puir Davie Booman didnae deserve that. Skelp the Dug's a scoondrel. Skelp the Dug's a sleekit, lang-tail. Skelp the Dug's a leear. Skelp the Dug's a leear. Skelp the Dug. Skelp the Dug." Then he grabbit his auld haid atween his haunds an screchit oot, "Haud yer wheesht. Stop cawin me that. Ye kin ah canny staund it. Stop cawin me that!"

Afore ah kid say six, he'd loupit on tap o me and preened me tae the back o the chair wi his knee. "Ah'll jist hae tae freeze yer jaw first, madam." Drawin back his airm, he brocht his haund doon an gied me a skelp o the mooth wid hae flaired a chairgin cuddy.

An freeze ma jaw? It froze ma blidd. He wis leevin up tae his by-name awricht, except it wis me that wis gettin skelped, no the dug.

He keekit oot fae ower his surgical mask wi his gloorie een that seemed tae steek richt through me as if he wis winkin at summin deep inside ma sowel. Ah startit fechtin an rivvit at his jecket tae try an lowse masel fae him bit ah wis pechit wi the pain. Ah opent ma mooth tae let oot a scraim bit at that he shoved his muckle mauchit haunds intae ma gub an grabbit hud o ma sair taith. Ah let go o the awfiest-like skirl.

"Wheesht noo, ma cocky bendy. It's no that sair. An ah'll hae'd oot for ye in a minute."

Ah lookit back at him ower ma shooder. He hid summin in his haund bit ah couldnae richt see whit it wis. Bit when he turned roon, ah saw fine what wis in his grup – a muckle great DIY-sized pooer drill. He gunned the trigger an ah felt aw the blidd sookin straicht oot ma face.

Ma skirl seemed tae loup oot o ma sowel an jist jine richt in wi the scraimin o Skelp the Dug's electric drill. As weel as ma life, ah kid see flittin in front o me the haidline – "**Local dentist in tax fraud scandal. A Fife News exclusive**." The Chairlie Reekie story raised circulation by a thoosand an got everybiddy at the *News* weel-kint. Except ah wisnae workin fer the pipper then. Ah wisnae even in Scotland!

Ah gied him a kick and yelt, "Git aff me, ye muckle lump. Gie's pais!"

"Goavie dick, ye're gawn an awfy length. What's adae? Ah'm jist tryin tae mak ye better."

"Na! Leaved a be! Ah'm awricht noo. It's no even sair. Ah'm awricht!" Ah wis haverin bit aw ah kid see wis that awfy-like drill birlin inches fae ma face.

"Noo, noo, ma wee cushy doo. Ah'll mak the pain stap feriver. Deh you fash yer wee sel."

He grabbit hud o ma jaw an his haund wis as hard as a partan's tae. The drill looered nearer.

Curlt up like a wulk in the fairsome chair, the tears rowin doon ma chin wi the baist on tap o me, ah felt awthin gan limp an realised ah wis gawn tae dee. In a dentist's chair o aw things. Typical, eh.

Suddenly there wis the soond o wud crackin. Fowk were shoutin abinn the skirl o sirens.

Skelp the Dug lowpit on tae the flair jist as a burly great polisman flew through the door an foundered him wi a lick and wrastled him tae the grund.

"Ye're awricht, hen. We've goat him. Ye're aw richt."

Ah jist lay there fair wabbit. Ah tried tae staund bit ma legs were shooglie an ah skitit tae the flair. Gazin up at the bleezin white licht oan the cailin, winderin what ah'd din tae deserve aw that, ah felt a queer thing rowin aboot ma mooth like a wee chuckie stane. Ah turnt ma haid an speuchled it oot. Ma sair taith.

Ah raised ma een a bitty aff the flair an noticed a pair o een winkin back at me fae alow the coonter. It wis wee Davie Booman taungled up like a pluckit choochie wi his ain Worsit drawers stappit in his mooth. He looked that putten aboot, rowed up in the nuddy skuddy wi his doup stickin oot an his baffies still oan that ah didnae kin whither tae lach or pee ma breeks.

So ah did baith.

• • • • • • •

Broonlee's on the phone tae Maw jist aboot every night noo. It's no normal. I dinna even ken whit I'm supposed tae have done.

"Mr Brownlee's organisin a talk at the end o the month," Maw says. "He wants pupils tae speak in front o the haill school. I think you'd be guid at that, Joe, so I've pit yir name doon for it."

"Whit? In front o the haill school? I get rubbish marks for daein Talk in class. The teacher doesna like whit I talk aboot. She's aye on at me tae stap tellin ghosters."

"Nothin wrang wi ghosters, if ye tell them at the right time," she says but that doesnae help. Accordin tae Maw ye're sometimes allowed tae tell lees but ither times ye've no tae tell them. I canna work it oot. When's richt an when's wrang? Ma ghosters ayewis seem tae be wrang.

Later that day we drive doon tae the Borders tae visit Mr Roberts.

We're meant tae be pentin him in a community ha but he invites us tae his hoose an gies us tea an scones afore movin us ben intae this lang room wi a view o the Eildon Hills an hauf o Scotland as weel. His wife's got the cauld an is lyin in her bed up the stair. Mr Roberts keeps excusin hissel tae go an spier if she needs anythin. He is awfie kind tae us makkin sure Maw has plenty tea an me hunners o crisps. Maw says Mr Roberts has yin o the brawest profiles she's ever seen, except mines of course.

NICHT BUS

James Robertson

Whit I'm aboot tae tell ye is the truth an that's aw there is tae it. This happened tae me an I mind it as if it'd taen place yesterday. But it wis twinty-five year syne, that nicht. In aw thae twinty-five years I niver tellt anither sowl but yin. An tae be honest, I'm gey sweirt tae tell ye the noo. But I'm no young ony mair an I need tae tell ye. Aw I ask is that ye dinna try tae offer me an explanation, ye dinna try tae tell me whit must hae happened. I ken whit happened, an naethin ye can say will mak me chynge ma mind aboot it.

It wis late in November, an I had been oot aw day stravaigin the hills. The wind wis comin frae the east, a snell, bitin wind. It wis the gloamin oor, an I wis walkin across a bleak, wide muir. It micht hae been on the sooth side o the borderlands o Scotland, or it micht hae been on the north side of the borderlands o England – I dinna richt ken, for the fact is I had tint ma wey. It wisna a guid place tae be lost, wi the first flichts o a snawstorm flauchterin doun amang the heather an the leid-grey nicht drawin in aw roon. I begun tae be a wee bit feart, starin oot intae the gaitherin daurk, whaur the muir met the hills that I'd been on earlier. Ye cudna richt tell whaur the flat land stopped an the hills stertit. It didna maitter whitiver airt I luiked in, there wisna a bit o reik frae a cottage lum, no a fence or a dyke or even a sheep track tae guide me. Like an eejit, I had come oot withoot a map or compass, but I wis that confused that they widna hae been muckle uise onywey. There

99

wis naethin I cud dae but keep walkin an tak ma chance on findin some bield on the wey. Ah, but I wis that wabbit! I'd been oot since nine o' clock, an it wis oors since I had ett ma last piece an drank the last dreggles o coffee frae ma flask.

Meanwhile, the snaw wis comin on thick an steady, tho the wind had drapped. As the nicht cam doun, sae the cauld begun tae creep up frae the grund, intae ma buits, ma legs, ma haill body, till I cud hardly feel masel walkin. The ae thing that kept a lowe in ma hert wis the thocht o ma wife waitin on me back at the inn whaur we were steyin. She hadna felt weel that mornin, so I had gane oot alane, an noo aw I wantit wis tae get back tae her side. But the thocht o her grieved me as weel as warmed me. We had been mairrit juist fower month, an this wis a wee holiday for us, an we were gey happy thegither. But tho I liked tae think on her, an it kept me walkin, I didna like tae imagine her frettin an fashin when I didna win back tae the inn afore nicht, as I'd promised I wid.

Still, I thocht, if I cud juist hae a rest at some freenly cottage, an mebbe a bite tae eat, an fin a guide tae pit me on the richt road, I micht yet get back afore midnicht.

An aw this time, the snaw wis fawin an the nicht wis growein mair thick. I gied a shout yince in a while, but that seemed tae mak the silence deeper – it swallied up ma shouts like peebles flung doun a well. I kent I had tae keep gaun – I kent aw thae stories aboot fowk that juist set doun for a five-minute rest in the snaw an niver stude up again. But I didna ken if I cud stey awake aw through the nicht. Whit wid happen when ma strenth failed an ma speerit cudna thole the cauld nae mair? It wis a terrible thocht. I didna want tae dee juist then, when life lay sae bricht afore me, an I didna want tae brak ma darlin wife's luvin hert.

That gart me shout again, as if I wis shoutin tae her, an it seemed tae me that ma shout wis answered. Or wis it juist an echo? I shouted again, looder an langer, an back cam the echo yince mair. Then a wee shooglie skelf o licht cam oot o the daurk, shiftin, vainishin, kythin again, an at last growein bigger an brichter an nearer! I ran towards it, an I fund masel, in a sudden joyfu moment, face tae face wi an auld man cairryin a lantren.

That's whit it wis, tae – no a torch that rins on batteries, but a muckle square auld lantren, burnin ile, that he wis haudin by a haunle on its tap. Even twenty-five year syne, ye didna see a lantren like thon ivery day!

"Thank God!" I cried. I cudna help masel.

He held the lantren up at ma face, glowerin as if he'd only juist noticed me.

"Whit for?" he grumphed.

"Weel – for you! I thocht I wis lost an wid hae tae spend the nicht oot here in the snaw."

"Aye, weel," he said, "fowk dae get cast awa hereaboots frae time tae time, so how shud it no happen tae you?"

"Weel, it hasna, freen," I said, "an noo that I hae fund ye I dinna mean tae let ye oot o ma sicht again. Hoo faur is it tae the Braefauld Inn?"

"A guid eicht mile an a bittock."

"An hoo faur tae the nearest toun?"

He lauched. "The nearest toun is sax mile the tither side o the Inn," he said.

"Whaur dae *you* bide then?"

"Oot yonder," he said, an swang the lantren intae the daurkness.

"Ye're on yer wey hame?"

"I micht be."

"Then I'm gaun wi ye."

He shuik his heid. "Na, ye're no. He'll no let ye in."

"Wha'll no?"

"The maister."

"Wha's the maister?"

"That's nane o yer business."

"Aye, weel," I said, "it is. You lead the wey, an I'll follae, an I'll spier yer maister tae gie me a bit supper an bield for the nicht."

"Ach, ye can try if ye like," he said, an hirpled aff intae the snaw withoot anither wurd. I stepped in his fuitprents that close I wis near trippin on his heels, a thing he aither didna notice or chose tae ignore. In juist a few minutes a muckle shape loomed forenent us, an a bleck dug cam lowpin an barkin as if we were hoose-breakers.

"Doun, sir!" the auld man said, an the dug quieted.

"Is this the hoose?" I spiered.

"Aye, it is," he said, an brocht a key oot o his coat pooch, an seemed tae haud himsel ower the lock as if he wid try tae slip in by himsel an keep me oot. I saw frae the licht o the lantren that the door, forby bein crustit wi snaw, wis studded wi nails, like a prison door. This didna stop me: as sune as he had it open, I pushed past him intae the hoose.

Weel, I wis in a great haw wi muckle bauks haudin up the ruif. It seemed tae be pairt byre, pairt lumber room. There wis bales o straw stackit up at the ae end, an secks o grain, auld bits o pleuchs an tractors, casks an siclike at the tither. Frae the bauks were hingin huge sides o beef, strings o ingans an dried herbs for winter uise. Richt in the middle o the flair wis some big objeck happit in a clarty bleck claith, an when I liftit a corner o the claith I wis surprised tae fin a muckle telescope set up on a plettie wi fower wheels. I wis still tryin tae wark oot hoo mony starns ye micht see wi sic an instrument when a bell jinged some-whaur at the back o the haw.

"That's for yersel," ma guide tellt me, wi a wickit grin. "Yon's his chaumer."

He pyntit tae a laich daurk door that I hadna seen at first. I walked ower, chapped loodly an entered, athoot waitin tae be cried in. A lyart-haired auld man heezed himsel up frae ahint a table covered wi buiks an papers. I'm sax fuit an mair, but this auld chiel fair loomed abune me when he stude up.

"Whit's aw this?" he said. "Hoo did ye get here? Whit dae ye want?"

"I cam on fuit ower the muir," I tellt him, "an whit I want, if ye'll obleege, is a bite tae eat, a drink, an some sleep."

He runkled up his broo at me.

"This isna a boardin-hoose," he said. "Jacob, hoo daur ye let this man in?"

"I didna let him in," said Jacob, wha'd follaed ahint me. "He cleeked ontae me on the muir an oxtered his wey in like a sodger. I'm nae match for sax fuit twa."

"Whit gies ye the richt tae force yer wey in tae ma hoose?"

"Nae richt, " I said, "but I wantit tae stey alive. There an inch o snaw on the grund oot there. I'd hae been smoored wi it afore the neb o day."

He gaed ower tae the windae, pulled back the drape an luiked oot.

"Ye're no wrang," he said at last. "Weel, ye can stey then, if ye will, till the morn's morn. Jacob, bring in the supper."

He waved his haun at a seat next tae the fire, sat doun in his ain again, an cairried on wi his studies athoot peyin me ony mair heed.

I drew ma chair in close tae the ingleside an got a heat. An I luiked aboot the chaumer an wis fair bumbazed wi aw the guddle it contained. It wis wee-er than the haw, but it seemed tae hae mair in it. The whitewashed waws were aw scrawled ower wi weird diagrams an formulae, an whaur they werena they had raws an raws o shelfs piled up wi stourie auld buiks an scientific instruments whase uises I cudna even guess at. On the tither side o the ingle there stude a wee organ, aw covered wi carvit, pentit images o medieval saunts an deils. There wis a walk-in press at the faur end o the room, its door hauf-open, an I cud see in there anither set o shelfs, laden wi whit luiked like geological specimens, jauries containin *things* in formaldehyde, bottles o chemicals, crucibles, retorts an the like. On the brace ower the fire, richt aside me, there stude a model o the solar system, an a microscope. The only chair that wisna wechtit doun wi a pile o objecks wis the yin I wis sittin in. Ye cudna see the flair itsel for spread-oot maps, documents an mair buiks.

I cud hae been entertained for oors juist luikin at aw this stuff. I hae niver been in sic a strange apartment, afore or since. It wis even stranger tae fin this room in a lanely fermhoose oot on the muirs, faur frae ither scientists or artists or philosophers, faur frae cities an universities whaur ye micht expeck *somethin* like it. I kept turnin back tae luik at ma host warkin awa. Wis he a philosopher? He luiked mair like a poet, wi his braid foreheid, his craggy broo an his mass o fine white hair doun tae his shouthers. He wis a wee bit like Beethoven, or Einstein, or Salvador Dali – an that wis the thing, I cudna decide whit kinna man he wis at aw!

Efter a while, Jacob cam ben wi the supper – gammon, eggs, broun breid an a bottle o reid wine – an ma host left aff his wark, cleared a space amang the buiks, an invited me tae jyne him at the table.

"This is plain hamely fare," he said, "but I dout ye're hungry enough no tae care aboot that."

Tae be honest, I didna think I had ever tastit onythin sae fine as that food, an I tellt him sae. At the same time, I realised that the food wis aw for me, as Jacob had brocht in a luggie o parritch an a joug o milk for his maister, an that wis aw he seemed tae want.

We didna say anither wurd till we had feenished oor meal. Jacob cam in an tuik awa the tray. I gaed back tae the fire, an tae ma surprise ma host follaed me, bringin ower his ain chair. An he begun tae speak.

"I hae bade here awa frae the warld for mony years, sir, an I dout in that time I hivna seen thirty fremmit faces, nor hae I read a singil newspaper. Ye're the first body forby Jacob tae cross ma lintel for fower year. I wid like tae ask ye a few things aboot thon warld that I nae langer inhabit."

"Please," I said, "I'm at yer service. Ask me whitiver ye want."

He boued his heid in thanks, an, goavin intae the fire wi his elbaes restin on his knees an his chin in the loofs o his hauns, he begun tae spier at me.

But it wisna political events or wha wis deid or whit prince wis mairrit on whit princess or whit kintra wis fechtin whit kintra that interestit him. Na, he wantit tae ken aboot scientific progress, inventions, medical advances an the like – subjecks that I didna hae a clue aboot. I gied him whit information I cud but it wis sair wark, an I wisna sorry when he stertit tae speak himsel. An the mair he spak, the mair I didna. I juist wantit tae listen. Tae tell the truth, I think he clean forgot that I wis there. I wis juist the mechanism that enabled him tae unsneck his thochts an say them oot lood. I niver heard the like o it afore, an I niver heard the like o it efter. He kent aw philosophical systems, aw the braid currents o human culture an thocht, aw the principles o physics an metaphysics. As he stravaiged through the universe, he spak o Mesmer an Einstein, Spinoza an Plato, Pascal an Descartes an Hubble as if they had been some o his few visitors doun the years. He kent aw aboot religion tae, an Eastern mysticism, an theories aboot time an life efter daith. He spak o the sowl, o the pouer o the mind ower physical objecks, o saicont sicht, an prophecy; an he spak o whit we cry spectres, bogles an the supernaitural, as if they were the maist naitural things ye wid speak aboot tae a stranger seatit at yer ingleside.

"The warld," he said, "is growein mair an mair sceptical ilka day: if a thing disna fit intae oor nerra wey o thinkin aboot the universe, we winna gie it ony credit at aw. If we canna *prove* somethin we condemn it as fable or superstition. If we canna experiment on it in the laboratory, or cut it open in the disseckin-chaumer, we say it must be fause, or non-existent. An when it comes tae apparitions, tae *ghaists*, oor rational age winna gie them hoose-room! Yet aw doun the centuries, is there onythin that's had as muckle testimony, as mony witnesses – men an weemen o ilka cless, race an walk o life, simple fowk, clivver fowk, kings, maids, sodgers, meenisters – as the seein o ghaists? These fowk arena leears an dafties, but science gecks an jeers at them. If ye swither for a minute afore condemnin them, they cry ye an aider an abettor o ignorance. If ye *believe* them, ye're cried a fule."

There wis a soor, angry tone tae aw this, an efter he'd feenished he sat goavin intae the fire as if it wis his past life. Syne, mair composed, he said: "That wis *ma* fate, sir. I listened, I swithered, I cairried oot ma ain investigations, an I believed. I wisna blate tae state ma beliefs tae the warld, an the warld held me up as a molly-dolly, a popinjay. Aye, they aw tuik shots at me, an lauched me oot o coort. Mony years hae passed. Ever sinsyne, I hae lived oot here, alane but for Jacob, an the warld has disremembered me, as I hae disremembered the warld. An that's aw ma tale."

"It's a sair yin," I said, for I didna ken whit else I cud say.

"Weel," he said, "it's no that rare. I hae tholed for the truth, but I'm no the first, an I'll no be the last."

He stude up, as if he didna want tae say ony mair, an gaun ower tae the windae he liftit the curtain.

"It's stopped snawin," he said.

"Stopped!" I lowped tae ma feet. "Then I micht – but na! Even if I cud fin ma wey, I cudna walk eicht mair mile the nicht."

"Eicht mile?" he said. "Whit are ye thinkin aboot?"

"I'm thinkin aboot ma wife," I said. "Ye've nae telephone, I suppose?" It wis the first time I had thocht aboot a telephone in the auld hoose, but he juist lauched. "Weel, ma wife is waitin on me at the Braefauld Inn. She disna ken I'm safe. She'll be seik wi fear an worry."

"The Braefauld Inn? Aye, it's a guid eicht mile – mair like ten. But hoo anxious are ye tae get back tae yer wife the nicht, an no in the mornin?"

"I'm desperate," I said. "I'd gie ten pund richt noo tae ony man that wid guide me there."

He smiled. "It winna cost ye that muckle. The nicht bus frae the sooth tae Embro stops at the Braefauld, an it comes ower the muir aboot twa mile frae this spot. It's due at a certain crossroads in less nor an oor. If ye set oot this minute, an Jacob taks ye as faur as the auld road, ye cud doutless fin yer wey tae the new yin?"

"Aye, of coorse."

"Weel, then." He rang the bell an tellt his servant whit wis required. Afore we left, he stepped intae the press whaur I had seen the jaurs o chemicals, an cam oot wi a bottle o whisky an a singil gless. He poored oot a glessfu an haundit tae me. "It'll be hard wark through the snaw. A shot o usquebaugh will help ye on yer wey."

I didna want the drink, I wis that keen tae be awa, but he widna let me gang athoot it. I drank it aff, an it breenged doun ma thrapple in a bleeze. It wis like whisky, aye, but it wisna like ony I kent, an I thocht that he probably made it himsel on the premises, faur frae the keekin een o excisemen. It wis that strang it made me hoast.

"It'll keep the cauld oot," he said. "It'll *protect* ye. Noo, guid nicht tae ye!"

I begun tae thank him an held oot ma haun, but he had turnt awa an gane back tae the press. Jacob pushed me oot o the chaumer, across the haw, an oot ontae the snaw-happit muir.

The wind had dee'd awa, but it wis still bitter cauld. There wisna a starn in the sky, an there wisna a soun on the yirth forby the craikin o the snaw ablow oor buits. I cud tell Jacob wisna best pleased tae be sent oot again. He shauchled forrit wi the muckle square lantren in his haun an didna say a wurd. That suited me fine tae, for aw I cud think on wis the man that he had cried "the maister". His vyce wis ringin in ma lugs yet, an haill sentences an pairts o sentences that he'd uttered kept lowpin intae ma heid. I follaed Jacob in a dwam, no really luikin at whaur we were gaun.

Efter a short while he cam tae a sudden stop. "Yonder's whaur ye gang," he said. "Keep the stane dyke on yer richt haun an ye canna miss the wey."

"Is this the auld road then?"

"Aye, this is it."

"An hoo faur tae the crossroads?"

"Juist a mile, nae mair."

"An there I meet the new road that the bus traivels on?"

"Aye, juist as he said."

I poued oot ma wallet an gied him a pund, which wis a fair sum in thae days. He lichtened up at that.

"The auld road's fair enough," he said, "for the likes o yersel, on fuit. But it wis ower stey an ticht for modren vehicles, an that's why they biggit the new road. Tak tent when ye get close tae the crossroads, by the signpost, for the parapet's broke clean awa. They niver mendit it efter the accident."

"Whit accident?"

"Oh, the nicht bus piled richt through the parapet an doun intae the cleuch – fifty feet an mair – juist at the warst bit o road in the haill kintra."

"That's horrible. Were there fowk hurtit?"

"Hurtit? There were fower killt, an yin that wis fund hauf-deid the neist mornin."

"An when wis this?"

"Nine year syne."

"By the signpost, eh? I'll keep weel awa frae the edge at that pynt. Jacob, I thank ye for comin this faur. Guid nicht."

He raised a fingir tae his bunnet an turnt for hame. I watched the lantren licht fadin for a minute, syne turnt masel an made a stert.

Weel, in spite o the daurk an the thick snaw, the wey wis easy, for the stane dyke stude oot clear agin the whiteness. I didna daidle, in pairt for I didna want tae miss the bus efter aw this trauchle, an in pairt for the silence wis gey uncannie, an a certain dreid o bein on ma ain gart me hurry on. I strak up a sang tae keep ma speerits up, an when I begun tae pech ower muckle tae sing I did sums in ma heid, an tried tae pit oot o it aw the things Jacob's maister had said aboot ghaists.

The air grew mair an mair cauld, an it hurt ma neb an ma thrapple tae breathe it in. Ma feet were like blocks o ice, an ma hauns, even deep in ma pooches, were freezin. Syne the road begun tae climb, till it wis that stey I cud haurdly imagine hoo ony vehicle managed it in simmer, let alane in winter. Nae wunner they had biggit a new road! Ma hert wis dirlin, an I had tae stop for a blaw, leanin agin the dyke. I luiked back doun the wey I had cam, an there I saw a licht, faur faur aff, but comin towards me. I thocht it must be Jacob, but I cudna think why he wid be follaein me – I hadna left or forgotten onythin that I cud mind. But even as I luiked, I saw that it cudna be him, for the licht becam twa lichts, movin thegither, an each mair bricht nor that auld-farrant lantren. In anither minute there wis nae dout at aw that it wis a caur, tho wha wid be bauld or stupit enough tae be drivin their motor on sic a road on sic a nicht wis ayont me.

It wis fairly birlin alang tae, an as it drew near I cud see it wis ower big tae be a caur. Suddenly I realised – it wis the nicht bus. Somehow I maun hae missed the crossroads an the signpost an got ontae the new road, an here wis the bus that wid tak me tae the Braefauld Inn. I didna hae time tae think whaur I'd gane wrang, for roon the last bend hurled the bus, wi the driver in his peaked cap silhouetted in the windscreen o his cabin. I lowped intae the beam o the heidlichts, wavin ma airms an shoutin, tho ma vyce wis drouned oot wi the noise o the ingine. The bus raired past, an I thocht the driver hadna seen me, but syne there wis a skraich o brakes, the bus skitit an sclid on the hard-packed snaw, an it cam tae a halt a hunner yairds past me.

I ran up tae it an fund the door had been opened. I stepped in tae the dim yellae licht o the bus.

"Are ye gaun by the Braefauld Inn?" I spiered the driver.

He didna answer, but juist poued the lever that closed the door ahint me, pit the bus intae gear an tuik aff again wi sic a force that I wis wheeched back intae the body o the bus. Weel, I wis on board noo, an I thocht that even if the bus wisna for the Inn, it must be for some place, an that had tae be better nor steyin ootside. I stauchered tae a seat ahint yin o the ither passengers an sat doun.

"Whit a nicht!" I said, tae naebody in particular, an naebody spak a wurd back. They aw juist sat there as if I hadna got on at aw, an the bus picked up speed, careerin aboot till I had tae haud on tae the seat an pray that the driver kent the road, an that there wis naethin comin in the opposite direction.

It wis, if onythin, caulder inside the bus than ootby, an there wis a mochie damp smell comin aff the leather o the seats. I had a keek at the tither passengers. There wis three o them, aw men. They didna seem tae be sleepin, but they didna seem that wide awake aither, but sat huggert in their seats agin the cauld, ilk yin sunk in his ain thochts. Efter a whilie I tried again.

"Is there nae heatin in this bus?" I said tae the man sittin across the aisle frae me. "It needs it, on a nicht like this."

He liftit his heid, luiked at me, but didna answer.

"It's lucky the driver seen me," I said. "I didna fancy bein left oot there aw nicht."

Still he didna say ocht. His een were starin at me, but

his sicht seemed no verra focused. An in fact it wis gey hard tae mak oot his features, he wis that happit up an his heid wis that laich on his kist.

Mebbe in ither circumstances I wid hae been pit oot wi his ill mainners, but juist then I didna feel up tae an argument. The cauld had wurmed its wey deep intae ma banes, an the strang soor guff inside the bus wis makkin me want tae boak. I shithered frae heid tae fuit, but I wantit some fresh air. I chapped the shouther o the man in front o me, an spiered if he wid mind if I opened a windae.

He naither steired nor spak a wurd.

I spiered yince mair, but wi the same result. At that I lost the rag an leant forrit tae slide back the windae. There wis a leather haunle ye grippit tae dae this, an it cam awa in ma haun – the leather wis rottit through. I saw tae that the gless wis aw fousty, smoored ower wi a layer o mould that seemed tae hae been there for years. I luiked aboot the rest o the bus. The lichts werena that bricht, but even still I cud see that awthin in it wis manky an mozie. The metalwark wis aw rousty, the seats were crackit an their intimmers burstin oot like grey auld parritch, an there were moosewabs in ilka corner. When I stampit ma feet agin the cauld, I gey near pit them through the rotten wuid o the flair. The haill bus wis a broken-doun midden.

I turnt roon an spak tae the third passenger, the yin I hadna yet tried. "This thing luiks like it's been keepit in a cowp," I said. "Is the regular bus oot o service or somethin?"

His heid muved a wee bit, an he luiked strecht at me, athoot sayin a wurd. I'll niver forget that luik as lang as I live. I thocht ma hert wid stop an even noo ma bluid turns tae ice when I think on it. His een had a weird, wanchancy lowe in them. His face wis blae as a corp. His bluidless lips were drawn back as if in the thraws o daith, an I cud see his yellae teeth atween them.

Ma question deed in ma mooth. I wis fullt wi horror. I turnt back an goaved at ma neibour across the aisle. He wis luikin at me an aw, wi the same scunnersome lowe in his een, the same gash colour in his face. I dichtit ma broo wi ma haun – suddenly I wis poorin sweat. I chapped the man in front o me again, an he slumped agin the windae, an I saw that he wis nae leevin man at aw – that nane o them were leevin men like masel. The smell washed ower me – the smell o rotten bowfin flesh. The bus seemed tae leam wi a horrible licht that lit up their deid faces, their dunk, dowie, fawn-apairt claes, their hauns that were like the hauns o skeletons. Only their een were leevin, an thae een wis aw stellt on me!

I heard masel gie a lang skirl o fear as I lowped up an flung masel tae the front o the bus. "Let me oot! Let me oot!" I yelled, but the door didna open an the bus didna slaw, in fact it seemed tae get faster. Syne I luiked closer at the driver. He wis sat in his seat, his hauns grippit ticht on the wheel, starin wi thon same bricht een at the road afore him, an he wis as deid as the rest o them.

I screamed again, an haimmered at the gless o the door. Syne the bus tiltit a wee bit, an I saw the bleck cloods in the lift, an the mune kythin through a wee scliff atween them, an in its licht I saw a signpost, the parapet at the roadside heavin up tae meet us, an there wis a terrible whinin an screevin soun as the bus smushed through it. An syne – juist an awfie hurt in ma heid, an mirkness.

Years seemed tae pass. I waukened yin bricht mornin an there wis ma wife sittin at ma bedside. I'll no tell ye aw that passed atween us, but I'll tell ye the story she gied me. I had fawn ower the cliff, an doun intae the cleuch, juist whaur the auld road met the new. I'd hae been killt strecht oot if I hadna plowtit doun intae a deep snaw-wreath at the fuit o the craig. Here I wis fund at the neb o day by twa shepherds oot searchin for their sheep. Yin o them kept me warm while the tither gaed for a doctor. I wis hauf-mad wi pyne, I had a broken airm an a burst heid, but I wis alive. Frae the diary they fund in ma jaiket they warked oot ma name an address; traced ma wife tae the Inn; an in a few weeks, I wis nane the waur for ma experience. No physically at least. But ma mind wis gey hurtit, the mair sae when I wis tellt that whaur I had gane ower the edge wis the exack same spot whaur a bus had crashed, killin the driver an three o the fower passengers, on juist sic a snaw-bund nicht nine year afore.

I niver tellt ma wife the haill story o that nicht. I niver tellt her aboot Jacob an his maister, an I niver tried tae see if I cud fin their hoose again. The only body I iver tellt wis the doctor that the shepherd brocht tae me. I tellt him in the hospital o the wee toun, sax mile ayont the Braefauld, whaur they tuik me tae mend, but he aye pit it doun tae a combination o wabbitness an cauld. I had suffered exposure, he said, an that had played pliskies wi ma brain an gart me think that whit I had only dreamed had really taen place. We gaed ower it an ower it, till at last we had tae lea it alane, for naither yin o us cud convince the tither that he wis wrang.

But I ken the difference atween a dream an reality, an I ken noo, twinty-five year on, that I wis the only survivor o the nicht bus that had crashed on the auld road nine year afore I wis iver there.

· · · · · · ·

A few days later, we're in a multi in Dundee. Lookin oot the windae I can see the twa brigs an aw the wey up the River Tay. Maw's pentin Rory while she talks tae his mither. The pair o them are gabbin awa that fast an that furious it's as if they're tryin tae wear oot the Scots Language. They're bletherin aboot whit it's like tae hae a teenage laddie an me an Rory's lugs are burnin. He doesnae look awfie happy aboot it. Me neither.

I look oot at the river again. That Talk is comin up soon an I dinnae ken whit I'm gaun tae say. Chuckie's tellin us I'll git held back a year if I dinnae dae weel enough but he's jist windin me up. Turns oot they're daein it in the big hall an there'll be teachers an parents an pure tons o folk.

Anywey, the doorbell goes an Rory's maw rins oot tae answer it. As soon as she's oot the road, Rory comes tae life. The wey he talks is somethin new for me. Everythin is **eh** this an **eh** that – **fehve** for five, **creh** for cry, **meh** for my. Maw gets him tae move tae the windae an starts pentin him wi the Tay Road Brig in the backgrund.

"Are ye fine there, Rory?" Maw asks him.

"Eh," he answers.

I jist sit there, listenin tae this new voice wi ma lugs peened back.

RORY-O
Delia Gallagher

On account o me bein a bit ugly an skinny, ye probably widna believe me if eh telt ye eh wis starrin in meh ain real life romance at the moment, but it's true. It nearly didna happen cause her brither thought eh wis a cheeky wee mink. Noo she crehs me Rory-O. Honest, she dis, she says eh'm her dashin hero.

First time me an Jeanette met wis the night eh'd gone doon the Ferry fir an under 18s disco. Eh wis stanin at the bar on meh ain cause aa mi pals were up dancin. Eh'm no ane o thae guys wha disna dance but they never play the kind o music eh'm inti at these places. It's aa bad techno an thae boy/girl bands that ir in the charts fir aboot twa weeks then they drap aff the face o the universe.

This lassie came up beside us ti get a drink. Ye should hae seen her. Lang black hair and bonny wee lips an shimmerin glitter on her erms an her hair. Eh'd nivir chatted up a lassie properly afore but eh wis feelin kind o reckless the night, cause meh pal wha's mair hackit than me hid got a lass the week afore. Eh wis facin in her direction so eh sayed hi an asked her if she liked the music.

"No really," she sayed. "They nivir play any daicent music here. It's an aaright place though. At least it's somethin ti dae."

That wis a gaid sign. Even though eh dinna really like the music, eh often get up there and gie it laldy just ti hae a laugh so hopefully she wid be the same so eh could mibbe get a dance wi her. Eh hid decided that it wis aboot time eh

116

asked a lassie ti dance, pert o becomin mair mature. It's no as if eh hidna kissed a lassie afore. Eh hid kissed Stacey McIlvenny in primary six an she hid passed us her chooney. Eh started ti mak mehsel nervous beh thinkin aboot kissin and meh mind went totally blank an eh didna ken what ti say nixt. Eh wis jist stanin lookin glaikit when fate an the dj helped us oot. The music changed an 'Shining Light' beh Ash came on.

At exactly the same time we baith sayed, "Eh love that record!"

Baith o us had a big smile on wir face and were lookin at each other an eh suddenly felt like a right ba-haid. As soon as she smiled she hid looked even mair bonny an eh wis scared noo in case eh asked her ti dance and she sayed nut.

"Mon, let's dance," eh finally managed to say and immediately started wakkin towards the dance flair as if eh wisna bathert if she came wi me or no.

The bloomin dance flair wis practically empty when eh got there an so eh wakked inti the middle an turnt aroon. Thank God she wis right ahint us. Eh'll ehwis mind oor first dance. Eh'm shair it wis whit ye wid creh a transcendental moment. Jeanette wis surroonded beh a sort o glow an aa her glitter wis sperklin on her erms an she wis smilin at us like she wis thinkin gaid things aboot me. Even when eh kind o tripped ower meh ain feet and fell awa ti the side she jist started laughin wi us.

When the sang feenished eh made a kind o bow ti her like they dae in the movies an we wakked aff the dance flair. Unfortunately meh pals were stannin at the side sookin on their hands an makkin stupit kissin faces but eh jist pretended eh nivir seen them cause eh suddenly felt eh wis too aald fir aa that nonsense.

We went back ti the bar an eh bought her a Diet Coke an got mehsel an Irn Bru. It wis then that eh turnt inti the maist borin laddie in the world. Eh couldna believe eh actually ended up askin her what subjects she wis daein at the skale, an eh hid a big minter the haill time. Tell the truth, eh wis totally surprehsd when she gave me her mobile number at the end o the night.

She lived in the Ferry an wis gettin picked up fae her dad but eh hid ti run roon ti the aald post office ti get meh bus cause if eh missed it, that wis me wakkin hemm ti the Hulltoon.

"So how wis it the night, son?" meh mum asked when eh got in the hoose.

"It wis brullyint," eh sayed. "Eh met this dead bonny lassie an she gied us her number."

"Eh wondered whit hid happened. Ye look like ye've jist ate a pund o silly mince."

"Eh well, thanks mither," eh telt her an went ben ti meh bedroom.

Eh wahnted ti be cool but eh couldna help fae txtin Jeanette the nixt day. It's pretty hard when ye're fourteen an ye're wahntin ti go oot wi a lassie. It's no as if you can go ti the pub ti see a band or somethin. There's no even ony cafés wi jukeboxes anywhar like whit ye ehwis see American teenagers goin ti. Finally eh jist txted her an asked her if she wahnted ti go ti the pictures on the Monday night but eh hid forgot aboot the ither thing aboot bein fourteen: you're no allowed oot affy late. Eh wisna too bad. Meh mum let us oot til ten o'clock durin the week. But Jeanette txted back ti say, only if she could be hemm beh nine. Eh wis dead nervous aboot phonin her but efter eh found oot whit wis on the shows eh phoned to arrange whit time we would meet on the Monday. Eh wis relieved when the reception wis bad on her phone so she widnae hear how nervous eh wis cause meh voice gets a bit squeaky when eh'm nervous an eh wis sittin there wi meh legs shooglin.

Should hae seen me fir the rest o that day. It wis like eh hid suddenly become dyted. Eh trehd on aa meh claes afore decidin whit eh wid wear an meh mum totally embarrassed me beh tellin her pal on the phone that she hid a loveseik teenager in the hoose.

There wis only ane film that wis on at the right time that we could go an see an it turnt oot ti be a load o haivers. It wis aboot a puir laddie wha waantit ti be a racin drehver but he couldna get a gaid enough car an so he helped oot waashin the cars an ither joabs like that. He startit oot beh racin when naebidy wis at the track an then beh a fantastical event involvin a racin drehver wha wisna weel, he ended up winnin a big race an the bonny lassie he fancied came up at the end ti kiss him and they drove awa thegither. It wis like waatchin a computer gemm except it wis dead embarrassin when they startit kissin cause they seemed ti dae it totally perfect.

It feenished at fehve past eight so there wis plenty o time fir Jeanette ti get her bus back ti the Ferry. Turns oot though she'd asked her brither ti pick her up so she could stey oot a bittie langer.

We hid a drink in the bar bit and got ti speakin. It wis braa. We got on dead gaid. Eh managed ti be mair meh sperklin sel that night apert fae when eh trehd ti pull Jeanette's chair oot fir her but it wis nailed ti the groond. Tell ye, eh'm gettin so mature these days eh should probably lighten up a bit. Nine o'clock came roon affy fast an we went doonstairs whar her brither wis waitin in his fancy car.

He sort o gied us a dirty look when eh wakked up ti the car wi Jeanette but eh wisna carin cause eh wis jist totally gled that eh didna hae ti worry aboot kissin her.

Jeanette got in the car an then rolled doon the windae ti offer us a lift. Eh didna waant ti but she sayed, "Don't be daft, Rory. We can drop you off at your house." It sounded funny hearin her speak that wey.

"The Hulltoon multis, mate," eh sayed til her brither when eh got in an he drove aff withoot sayin anythin.

"Whit dae you dae when ye arenae chaufferin yir sister aboot?" eh asked him.

"University in Edinburgh. I'm in my fourth year, studying to be an engineer. What university are you planning to go to, Rory?"

"Eh, well," eh sayed. "Eh thought that mibbe eh'd jist go ti the ane on the Perth Road. Eh'm no sure whit eh waant ti dae though." Ti be honest eh hidna really gied it a thought until he sayed that. Eh think eh wis jist plannin ti get rich aa o a sudden when eh wis aalder. Aboot twinty or somethin.

"Jeanette's going to go to Edinburgh as well, aren't you Jeanette?" he sayed.

"Yes," sayed Jeanette.

"Tell him what you're going to do."

"I'm going to do Law."

Well, eh felt a bit deflated efter this. Eh jist hadna really thought aboot it afore. It made her seem affy posh. As we got near meh multi he sayed, "Looks a bit rough round here. Have your family lived here long?"

That wis when eh kent he wis trehin ti mak us feel bad so eh sayed, "Nut, me and meh mum were livin in a mansion in Invergowrie but we got fed up o it, so we moved here cause it's a better view."

Eh sayed cheerio ti Jeanette an got oot o the car an, tell ye, beh the time eh got ti the multi door, eh thought eh wis gonna greet. Eh bet she thought eh wis really stupit noo, an probably thought eh wis a mink inti the bargain.

Aboot an oor later though, she sent us a txt sayin she'd hid a nice time an that she would phone us the morn. Eh slept dead well that night but eh wouldna hiv if eh'd kent whit she wis gonna say the nixt day.

She didna phone us til fehve o'clock. She sayed she hid ti hide that she wis phonin us cause her brither hid telt her mum and dad that eh wis a hooligan an really cheeky. She sayed that she wisna allowed ti see us again. She sounded unhappy aboot it so eh asked her could she no pretend she wis goin ti meet her pals or somethin. We arranged ti meet on the Thursday night. She wis gonna come up ti meh hoose cause meh mum didna mind if eh hid people up.

Only thing wis, on Thursday, the bloomin lift in the multi wis broken. Course eh didna ken this cause it'd been aaright when eh came hame fae the skale. An, oh eh, eh steyed on the twinty-first flair.

When Jeanette seen the lift wis broken, she phoned us on meh mobile an sayed eh should be a gentleman and wak her up so eh headed doon the stairs.

Jeanette wis stannin doon at the bottom an she shouted *Rory* up til us. Eh wis totally bombin doon the stairs an eh kent she wid hear us so eh didna answer an she kept on shoutin but she wis enjoyin the echo that her voice made so she startit sort o singin meh name.

"Rory-O, oh Rory-O, whar ir ye, Rory-O?" At first eh didna ken whit she wis on aboot but then I remembered she wis daein *Romeo and Juliet* fir the skale. Eh wis well chuffed, what wi it bein a romantic story an aathin.

Beh the time eh got ti the bottom eh wis totally sweatin

and kind o regretted runnin doon sae quickly, especially as she wis aa fresh an startit wakkin up the stairs really fest. Eh wis totally trachled when eh got til the tap flair but a gentleman his ti dae these things.

So we went in meh hoose an Jeanette met meh mum an then we went upstairs ti go on meh computer. Course, we were noo alane in meh room so eh kent we were gonna hiv ti kiss. Much as eh wis lookin forrat ti it, eh wis totally scared. Eh'd been thinkin aboot meh last kiss wi Stacey an hid wondered if eh should pass meh chooney ti Jeanette but then eh'd nivir seen anybody in the films dae it so eh decided against it.

Afore eh could work up the nerve, though, her phone rang. It wis her mum an even eh could hear that she sounded angry. Turns oot that she'd pressed her hoose number accidentally on her mobile when she wis waitin on me comin doon the stairs an when her mum answered it aa she'd heard wis Jeanette shoutin "Rory-O, oh Rory-O, whar ir ye, meh wee Rory-O?"

Her mum wis angry aboot aathin. She wis angry cos Jeanette hid gone ti see a hooligan an she wis angry as well cause Jeanette wis speakin pure Dundee. Her mum asked her fir the address an telt her ti wait there.

Well, here's whar eh decided ti dae somethin daft. Eh went doonstairs an telt meh mum Jeanette's mither wis comin ower. She wis a wee bit angry wi us but eh think she wis mair bealin at Jeanette's folks. She kent eh wisna a hooligan. Eh telt her we wid wait upstairs til Jeanette's mum and dad came up. Eh heard meh mum gettin the hoover oot even though the hoose wis spotless anywey.

When eh went back upstairs eh telt Jeanette that we should pretend we wir baith daid, like at the end o *Romeo and Juliet* when their femilies were that seik aboot no lettin them be thegither that they made friends. Whit eh sayed we should dae wis hold oor breaths in fir ages so that we wid fehnt. We heard the front door goin an when meh mum shouted on us, we startit huddin wir breath. Pretty stupit, eh ken, but honestly, even then eh kent Jeanette an me wir jist right fir each ither.

Course it didna work an maybe because we heard aabudy comin up the stairs an were pretty nervous fae the lack o air or somethin but we just got the total hysterical giggles an when meh mum and her mum and dad came in the room it made us worse.

The three of them wir stannin in meh room an me and Jeanette couldna stop laughin, that total hysterical laughin that's right infectious cause the nixt minute aa the adults hid smiles on their faces.

When we managed ti calm doon, eh tellt them aboot the Romeo and Juliet thing that we were trehin ti dae but it sounded so stupit that eh couldna tell them it properly fir chokin up wi laughin again.

So that wis Jeanette groonded fir a fortnight. Eh wis only kept in fir a week cause meh mum ehwis sayed that groondin me wis mair o a punishment fir her.

Naebidy wis angry wi us though cause meh mum an Jeanette's mum used ti be friends at the skale so they were aa gled ti see each ither again an Jeanette's brither got a lecture fae his mum and dad on no judgin fowk which eh wis affy plaised ti hear aboot.

Only thing wis, we hidna managed ti hae a kiss yet so eh hid anither twa weeks o waitin an bein nervous aboot it. Eh went ower ti the Ferry ti meet her when she wisna groonded anymair an we went fir a wak alang the beach. It wis dead romantic, like. The sun wis jist settin an we sat doon on a bench ti look at it. Aathin wis perfect an eh asked her if she wid be meh lass. When she sayed eh, eh looked her in the ehs an gied her a kiss. Wir teeth bumped a wee bitty but at least eh managed no ti drool or slaver inti her mooth or anythin. Eh wis a gentleman, a right wee Rory-O. An see that first kiss wi Jeanette? It wis rare.

• • • • • • •

It's the efterninn o the Talk. I can see aw the folk shauchlin intae the School Ha. Ma knees are chappin thegither I'm that nervous aboot staunin in front o aw thae people.

I spot Alan an Chuckie oot the corner o ma ee.

"Awright, Rubber-dinghy," says Chuckie.

"Whit did you caw me?" I says.

"Gaber-dungie," says Alan. "How? Whit are you gonnae dae aboot it?"

"The name's Gaberlunzie," I say. "Dumplins like you widnae understaun. It means a wanderer, someone who trevels freely, somebody that naebody can tell whit tae dae."

"Except yir Maw," snichers Alan an I'm for takkin a skelp at his jaw but Mr Broonlee appears an Alan an Chuckie skitter awa doon the corridor.

"Joe, you're on in a wee minute," he says, haudin the door tae the ha open for me. "Are ye OK, son?"

I look up at him. It's aboot the first couthie word he's ever spoken tae me. He's even smilin. He's probably chuffed tae bits seein me aboot tae walk tae ma execution.

They caw ma name an I stotter doon the aisle atween aw the folk an climb ontae the platform. There's a sea o heids an faces in front o me an I'm still no sure whit I'm gonnae say. As I staun there waitin on everybody tae stap coughin an hoastin an for some bawheid third years tae get hauled back intae their seats by the PE teachers, Mrs Docherty an the story o her dochter, Caroline, lowps intae ma heid.

Carline, as her mum cawed her, had been oot on the moors. Mrs Doherty tellt us aw aboot it when we were daein her portrait ower at Coatbridge last week.

I ken ma English teacher's wantin tae hear me describe the life-cycle o the midgie or share wi three hunner folk whit

I dae wi ma spare time like fitba-sticker collectin or helpin auld grannies across the road but ma mind's drawin a total blank.

So I tak a big braith an start tae tell them the story o Carline an the baby on the moor, ready tae run aff the stage an across the fields at the first sign o trouble.

MOOR BABY
Des Dillon

Ivry Friday ma Carline drove down tae Err tae see her new boyfriend, Bobby.

Hings were gonnae be diffrint when he hid a job in Glasga bit fir now they were stuck wi her drivin down therr ivry week in this oul Mini she got fir wallies. Tae git therr she drove down tae Bothwell an over the bridge up tae East Kilbride. Then she hid tae go through Eaglesham an across the Fennick Moor. That wis a right dreich place at the best ae times. High winswept moor land. Full ae grouse an pheasants an telly masts. Nut a tree fir ten mile. Nut a house or a farm. On a grey day this place wis as close tae nuhin as ye'd ivir git this side ae purgatory. Carline nivir noticed it much because she wis cocooned in her car wi the radio on. Ronnie Laine's 'How Come' wis playin. If she'd thought about the wurds she wid huv laughed – they were aw about witchcraft. Bit she nivir thought ae they hings at that age. She wis young an she wis in love. Therr wis only her an the dark glass an the lights ae the odd passin car. The pleasure ae the radio nursin her aw the way tae her lover in the south. Beside the sea. Wherr his faimlie used tae fish tae they took it aw away.

Wan night in late October Carline wis drivin the oul Mini over the Fennick Moor. The rain wis skelpin down lik broken steel rods. The rods splinterin as their ends touched the tarmac. The cats-eyes were peerin through the bars like prisoners on a conveyor belt tryin tae escape; bit therr's always more bars. The rain wis relentless. Bit therr wis a

127

waarm glow in Carline because in the backseat wis a box. An in the box wis a pair o size 9 black patent leather shoes she'd bought fir Bobby. It wisnae his birthday or nuhin bit because she wis workin an he wisnae she bought him sumhin now an then tae cheer him up.

She'd been on the Moor five minutes. Up an up the windin road she went. It could be anywherr when ye luckt at it. The Hielands. South America even. Ten minutes an she hadnae seen another car. None behind her an none passin fae up ahead. The weather wis that bad people hid decidit tae stey in. Watch the telly. Bit Carline wis in love. A wee spit ae rain wisnae gonnae stop her.

Visibility drapped tae she could see jist twinty feet ahead. She pressed her face close tae the winscreen. Drove on. An on. She slowed down tae thurty mile an hour. The rain wis lik bullets on the roof now. She drove slower an slower. Then, up ahead, she saw sumhin on the road. She strained tae see whit it wis. The wipers were furiously skitin fae side tae side an she could only see the hing for a half a secont then it wis gone intae the waash ae the watter on the winscreen. Slow, slow, slow. She got tae ten feet away fae it when she realised whit it wis.

It wis a wean. A wee wean lyin in the middle ae the road. In the middle ae the night. In the middle ae the worst rainstorm fir years. In the middle ae the Moor. She skiddit tae a stop. When she git out the car, it wis lik a scene fae a film. The car wis stannin aw squinty on the road wi the door flung open an movin back an furrit in the win. Threatenin tae bang an then swingin open again. Carline paused atween the car an the wean. She wis half drawn tae the safety ae the car; half pulled tae the rescue ae the wean. She bent furrit an pushed through the gale that wis howlin aw about her. The rain wis bitin intae her eyes. Bit she hid tae git tae the wean. She hid tae git tae the wean.

Bit it wisnae a wean. When she got therr. It wis a doll done up tae luck lik a wean. Nut lik a wee lassie dis a doll up – bit lik an adult wid dae a doll up. Lik an adult wid dae a doll up tae luck jist lik a wean. Sactly lik a wean.

Carline grabbed it bi the plastic leg an took it back tae the car. She nivir knew why she did that. It wis only a daud ae plastic an she could hae left it therr or flung it in the ditch at the side. Bit it wis the shape that persuadit her. Got tae her subconscious. Some ae her waantit tae spin it intae the trees bit her female instincts hid been tricked an were still recoverin so she took it intae the car.

The watter wis runnin aff both ae them. She flung the doll on the flair at the passenger side as her bahookie hut the seat, slammed the door an drove aff. She wis bealin awright, cursin whitivir eejit hid done such a stupit hing. On a night lik this an aw. Bit her anger soon subsidit. She'd done a good turn really. It might huv caused a crash. Two or three cars close thegither. Front wan clocks the wean. Slams on the brakes. A car's hurlin the other way. Bang. Could've been a right mess so it could've. Aye, she might hae avertit an accident right enough. So she wis feelin awright. The rain hid died or at least it wisnae horizontal any more because she wis on the brae down comin aff the Moor.

That wis when thae headlights startit flashin in her side an rear view mirrors. She turnt the rear view mirror away bit the lights behind were joined bi the orange click ae hazards. She wound her windae down an pullt the wing mirror back so the blindin wid stop. Then the car behind's horn startit goin beep, beep, beep. Carline pit her fit on the accelerator. She git faster. The other car git faster. Therr wis nut another car on the road. Next hing the car tried tae overtake her. They were both goin lik the hammers ae hell.

Carline instinctively pullt out an bumped the other motor so it wis forced tae

pull

back.

Then, Carline seen salvation.

Up ahead were the lights an lines ae cats-eyes that marked the A77. She accleratit mair. Birled ontae the dual-carriageway an pit the accelator tae the flair. She'd been in fourth gear aw the time. She made some distance atween her an the chasin car. Bit the other car must've been mair powerful. It wis gainin on her. Catchin up. Therr wis no way she wis gonnae risk stoppin an tryin tae flag down another driver. Nut on these roads. Nut in this weather. Nut in this darkness.

The car caught up an they were side bi side tearin down the A77. The car wis tryin tae push her intae the side ae the road. Nut bi duntin her bit bi gettin its bunnit in front an swervin inwards so that she wis forced closer tae the kerb. Carline braked hard. So did the car. She git a guid luck at the driver. He luckt lik he wis no right in the head. He wis screamin an pointin fir her tae git on the verge. He hid his windae rollt down an his herr wis wet wi the storm, aw stuck tae his cheeks an forehead. His eyes were bulgin lik they were tryin tae talk.

The road suddenly narraad tae wan lane an he hid tae pull in behind her. That gave Carline the chance tae git away some distance. She slammed the brakes on so that the guy hud tae slam on his. He duntit her a bit then braked, pullin back. As he moved up again she repeatit the move. This time he braked afore he shuntit her. She's no daft, ma Carline. She done the same hing another three times. Then she slowed down tae forty. He slowed down. She pressed the acclerator right tae the flair bit at the same time tapped the brake pedal so that the brake lights came on. As he braked, her car wis speedin away. She pit at least five hunner yards between them. An she wis jist sighin some relief when therr he wis, right up behind her again. Carline startit tae brek intae tears.

"Help me, help me!"

She wis shoutin an screamin tae the other caurs, zoomin past in the opposite direction lik wee bubbles ae hope floatin up fae a deep dark burn. Wan man, she minds, wis chantin a song as his car whizzed past. Nae way wis she goin tae let this maniac git a haud ae her. Nae way wis she lettin him grind her down. She took the white line in the middle ae the road an made sure he couldnae pass. He jouked this way; she jouked that. He jinked this road; she jinked the ither.

Aw the way the chase rummled on. Right tae the Prestwick roundabout. Carline bumped the edge ae the roundabout as she screeched roun the curve an on tae the Err stretch o the A77. Cause shi wis full ae fear shi hid thi accelerator tae thi flair an got good traction goin roun the bend. Her pursuer didn't. He went straight intae the roundabout an out the other side, spinnin on the road an endin up facin the wrong way. Carline laughed a lang shriek. An out intae the night she went. Jist in case she turnt her lights aff an flicked the full beam on so that she could see wherr she wis goin bit anybody comin up behind widnae see her. She clocked the sign – Err, five mile – an felt better.

Bang!

Therr wis a dunt. A jolt. He wis still therr. Right behind her. The shuntin made the doll roll about on the passenger flair, its eyes glintin an its face grinnin as the sodium lights slid their ghostly yella over its face. It luckt lik it wis laughin. It sounded lik it wis laughin. The streetlights passed above lik seconts on a terrible clock measurin out the last ae Carline's life.

She strained intae the curve ae the Err roundabout. She screamed the engine down intae the town. She crashed right over the roundabout an intae the polis station waw. She git out the car scrammlin on her hands an feet afore straightenin up an runnin as fast she could. The chasin car came tae a stop on the roundabout an the guy git out an chased her. She ran an he wis right behind her. She wis nearly at the front door ae the station when he grabbed her bi both airms.

"Leave me alone, leave me alone!" she screamed.

He twistit her roon an his eyes glowered right intae hers.

"Don't kill me, mister," she wis shoutin. "Don't kill me."

Bit he pit his fingir on his lips an shooshed her tae she wis quiet an only her hard breathin could be heard. Pressin intae her shoulders, he pinned her back tae the waw.

"I'm nut gonnae kill ye. I'm nut gonnae hurt ye." He spoke clear an slow. "I'm nut gonnae harm ye in any way. In fact, I'm tryin tae help ye, hen."

"H . . . help?"

"Aye, help."

"How?"

"I wis only tryin tae tell ye that whin ye stopped tae pick up that doll way back therr on the Moor, a man git in the back seat ae yir car."

"Whit?"

"Whin ye stopped tae pick up the wee doll, a man git in the back seat ae yir car."

Carline screamed an screamed. The polis eventually git up an came tae see why therr wis a car smashed agin their waw; a secont yin squinty on the roundabout haudin up traffic an a greetin lassie crumpled beside a man. Wance they arrestit as many folk as they could, the story startit tae unfankle. When they searched Carline's car there wis no doll. Bit the back seats hid been slashed an slashed tae they were jist red leather ribbons wi the stuffin puffin out. They said a knife similar tae the wans used in slaughterhooses fir guttin pigs wis used. The black patent leather shoes Carline hid bought fir Bobby were gone an aw.

Carline got an awfie fright. She takes the train now tae see Bobby down in Err an when he gits his job up near Glasga she'll no need tae go down that way again. Oh an by the way, in case ye were wunnerin, they caught him. The man that had been cooried down in Carline's back seat aw the long car chase down fae the Moor. They caught him three month later. Up at Fennick Moor tae. Stannin on the tap ae a car wi a wummin's head in wan han an the wee doll in the other. He wis howlin at the moon an the blood wis drippin ontae his nice size 9 black patent leather shoes.

That's the trouble wi no bein fourteen. Naebody ever tells ye anythin.

Efter ma talk, the Heidie phones the hoose an then Mr Broonlee caws. Maw an Broonlee are bletherin for ages. I reckon they're cookin up new weys tae try an sort me oot. I dinna really want tae ken. But Maw's smilin when she comes aff the phone.

"Yir Heid Teacher says tae pass on his congratulations. He fair enjoyed yir spiel this efterninn."

Well, that's no too bad, I think, but I'm mair feart aboot that second phone caw.

"An whit wis Broonie wantin?"

"Me an Anthony are gaun oot on a date," she tells me, a daud o reid showin on her cheeks. "He says hi, by the way."

Anthony? Mr Broonlee's got a first name? An he's asked Maw oot? Aw naw. Wid ye believe it? I had tae thole "Anthony" breathin doon ma neck for a haill year, drivin masel mad daein aw that extra hamework jist so's him an Maw could get gabbin on the phone mair often. An noo they're gaun oot thegither.

"Sit doon, will ye?" ma Maw says. "Joe, I've been rinnin aboot pentin aw these strangers but ken whit I feel like daein noo? I want tae pent ma laddie."

I'm too gubbed tae argue wi her so I jist sit on ma dowper. When ye're ma age, there's that much gaun on, ye hae tae keep yir een an yir lugs open, itherwise it aw goes straight ower yir heid. An see me? I widna hae it any ither wey. I've got ma fingirs crossed that life's gonnae be jist as mental an doolally next year. Ken, I cannae wait tae I'm fourteen.

"Right, ma Gaberlunzie man." Maw's jist a blur o pent an brushes. "Turn yir heid roon a bit. Perfect. Haud that. An while we're at it, Joe, tell me some o yir ghosters. Gie us some o thae pure ghosters."

CONTRIBUTORS

Sheena Blackhall is an award-winnin screiver, poet, illustrator and traditional singer screivin maistly in Nor East Scots, wha his published mony volumes o poems an stories. Eenoo she is creative writing fellow in Scots at Aiberdeen University's Elphinstone Institute, whaur she wirks ootby in schules giein a heist tae the leid.

Christine De Luca writes in both English and Shetlandic (a blend of old Scots and Norn). She has three poetry collections: *Voes & Sounds (1994)*, *Wast wi da Valkyries (1997)* and *Plain Song (2002)*. Christine's work has appeared in numerous anthologies.

Des Dillon is an award winning writer. Born 1960 and brought up in Coatbridge, Lanarkshire, he studied English at Strathclyde University. Taught English and was the Writer in Residence in Castlemilk 1998-2000. Poet, short story writer, novelist and dramatist for film, television and stage. His work has been translated into various languages. Recent awards include: TAPS Writer of The Year 2000; SAC Writers' award 2000; The International Playwriting Festival award 2001. He lives in Galloway.

Matthew Fitt is a writer and teacher. He has had residencies at Brounsbank Cottage and Greater Pollok Social Inclusion Partnership. His first novel *But n Ben A-Go-Go* (Luath Press) was published in 2000. He is currently National Schools Officer for Itchy Coo Books.

Delia Gallagher lives and works in Dundee. She is the author of *Soft Soap*, published by Kettillonia, and is working on her first novel.

Willie Hershaw 'I'm an English teacher at Beath High Schuil, Cowdenbeath. I've had ane or twa o ma poems and stories published in ither buiks and nou and again a pupil will say tae me, 'Is that you that wrote this, Sur?' and I ayeways say back, 'Naw, that's anither Willie Hershaw.' I bide in Lochgelly whaur they used tae mak the tawse. When I went tae schuil ye got it ower yer haunds for speikin like the wey I'm writin juist nou.'

John Hudson was born in London and has lived in Kirkcudbright since 1987. He is a poet, filmmaker, installation artist, critic and editor of *Markings* magazine, as well as a short story writer.

Hamish MacDonald was born and raised on Clydeside. He has written two international award-winning series for BBC Radio Scotland and four commissioned plays. He is author of the novel *The Gravy Star*.

Janet Paisley writes poems, plays, stories, films, radio and TV. She bides in a wee village in the middle of Scotland an writes for weans, auld bodies an awbody in between. When she was wee, she telt stories but maist folk cawed them lies. Noo they gie her prizes and awards for daen it. Magic!

James Robertson is a poet and fiction writer. His first novel *The Fanatic* was published in 2000, and his second, *Joseph Knight*, is due out in 2003. He had also written the history *A Scots Parliament*, published by Itchy Coo. He bides in Fife. His story 'Nicht Bus' is adapted from the classic ghost story 'The Phantom Coach' by Amelia B. Edwards (1831–92).

Suhayl Saadi is an award-winning, Glasgow-based writer whose book *The Burning Mirror* was short-listed for the Saltire First Book Prize in 2001. His novel *Kings of the Dark House* is due out in 2003. Visit www.suhaylsaadi.com

Gail Stepo wis brocht up in the East Neuk o Fife. She bides in St Minnins wi her man an a muckle great dug. She is Chief Reporter on a local paper. This is her first foray intae fiction.